Amigos 2

OXFORD
UNIVERSITY PRESS

Great Clarendon Street, Oxford OX2 6DP

Oxford University Press is a department of the University of Oxford. It furthers the University's objective of excellence in research, scholarship, and education by publishing worldwide in

Oxford New York

Auckland Cape Town Dar es Salaam Hong Kong Karachi Kuala Lumpur Madrid Melbourne Mexico City Nairobi New Delhi Shanghai Taipei Toronto

With offices in

Argentina Austria Brazil Chile Czech Republic France Greece Guatemala Hungary Italy Japan Poland Portugal Singapore South Korea Switzerland Thailand Turkey Ukraine Vietnam

First published 2007

British Library Cataloguing in Publication Data

Data available

ISBN-13: 978-0-19-9126330

ISBN-10: 0-19-912633-X

10 9 8 7 6 5 4 3 2 1

Typeset in Myriad Pro and Goudy

Printed in Spain by Cayfosa Quebecor.

Acknowledgements

The publishers would like to thank the following for permission to reproduce photographs:

p54 t Richard Klune/Corbis UK Ltd; **p54 b** Ruta Quetzal BBVA; **p59** (1) Alan Pappe/Corbis UK Ltd.; **p59** (2) c.Sony Pics/Everett/Rex Features; **p59** (3) Ronald Grant Archive; **p59** (4) Ronald Grant Archive; **p59** (5) SNAP/Rex Features; **p59** (6) LUCASFILM/Ronald Grant Archive; **p66cl** Annebicque Bernard/Sygma/Corbis UK Ltd.; **p66 bl** Dave G. Houser/Post-Houserstock/Corbis UK Ltd.; **p66 cr** Thorsten Lang/Dpa/Corbis UK Ltd.; **p77 l** Sean Burke/Alamy; **p77 c** JOSE LUIS ROCA/AFP/Getty Images; **p77 r** Mark ZYLBER/Alamy; **p80 cl** Gavin Hellier/Robert Harding Picture Library; **p80 l** Dainis Derics/iStockphoto; **p80 cr** Alessandro Puccinelli/Tips Images; **p80 r** Corbis UK Ltd.; **p80 c** Nik Wheeler/Corbis UK Ltd.; **p85** Yann Arthus-Bertrand/Corbis UK Ltd.

Location photography by Martin Sookias/Oxford University Press.

All other photography: Oxford University Press

Illustrations are by:

Martin Aston: **p 41**; Kessia Beverley Smith: **pp 18**; **20 tr** & **ml**, **24**, **36**. **71**, **83**, **114 b**, **118**, **120 t**; Stefan Chabluk: **pp 11**, **16**, **30**, **40 t**, **56 b**, **60**, **75**, **112 t**, **135**, **145**, **146**; John Hallett: **pp 29**, **31**, **44 t**, **61 t**, **65**, **70**, **72 t**, **74**, **106 a-e**, **108**, **122 t**; Kevin Hopgood: **pp 56 t**, **61**, **90t**, **128**; Tim Kahane: **pp 8**, **9**, **10 t**, **12 t** & **bl** & **m**, **13**, **63**, **67**, **69**, **72 b**, **79**, **81**, **86**, **100**, **101**, **102**, **103**, **112 b**, **114 t**, **117**, **124**, **125 t**, **147**; Rob Loxton: **pp 45**, **47**, **62**, **89**, **110 b**, **111 b**; Karen Luff/OUP: **p 84**; Angela Lumley: **p 76**,; Brian Melville/OUP: **pp 6**, **7**, ; Oxford University Press: **19**, **20 b**, **40 b**, **42**, **46**, **51 t**, **52**, **106 b**, **107**, **110 t**, **111 t**, **122 b**, **136**; Nigel Paige: **pp 33**, **49**, **121**, **143**, **144**; Pulsar/Beehive Illustration: **pp 10 b**, **34**, **37**, **53**, **58**, **92**, **105**, **113**, **120 b**, **134**; Andreas Schikert/Illustration: **pp 38**, **51 b**, **78**, **90 b**, **96**, **97**, **109**, **116**, **126 b**, **127**, **139**; Frederique Vayssieres/Illustration: **p 12 br**;

The authors would like to thank the following people:

Pippa Mayfield (course consultant); Victoria Romerocerro (language consultant); Kathryn Tate (editor of the Students' Book)

The publishers would like to thank:

Colette Thomson (sound production); Keith Faulkner for music composition and Paqui Giminéz Pérez, María Jesús Pascual Garcia and students from the IES Gilaberto de Centelles, Nules.

Vincent Everett
Emma Díaz Fernández

Libro del estudiante

OXFORD
UNIVERSITY PRESS

Tabla de Materias

Puente: Hablar español

- Pronounce words in Spanish
- Spell words in Spanish
- Introduce yourself
- Count up to 20

¡A sus marcas!

Look at the Spanish on this page. What features make written Spanish different from English?

1 ESCUCHAR HABLAR — Escucha. Luego, con tu compañero/a, practica el diálogo.

Listen to the pronunciation of **h**, **ll**, **qu**, **co**, **ci**, **ge**, **ñ**. Then practise the conversation with your partner.

2 LEER ESCUCHAR — Empareja las preguntas con las respuestas. Escucha y comprueba.

a ¿Qué tal?	**1** Vivo en Oxford.
b ¿Cómo te llamas?	**2** Me llamo Vicky.
c ¿Cuál es tu nacionalidad?	**3** Tengo trece años.
d ¿Dónde vives?	**4** Muy bien, gracias.
e ¿Cuántos años tienes?	**5** Soy inglesa.

3 ESCUCHAR HABLAR — Escucha el juego. Con tu compañero/a, haz el mismo juego.

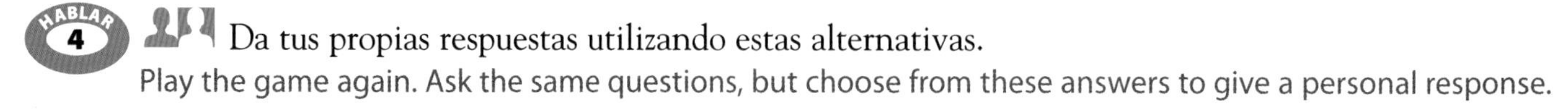

4 HABLAR — Da tus propias respuestas utilizando estas alternativas.

Play the game again. Ask the same questions, but choose from these answers to give a personal response.

Escucha y repite. ¿Cómo se pronuncian las letras en negrita?
Listen and repeat the numbers. Explain how you pronounce the letters in bold to your partner.

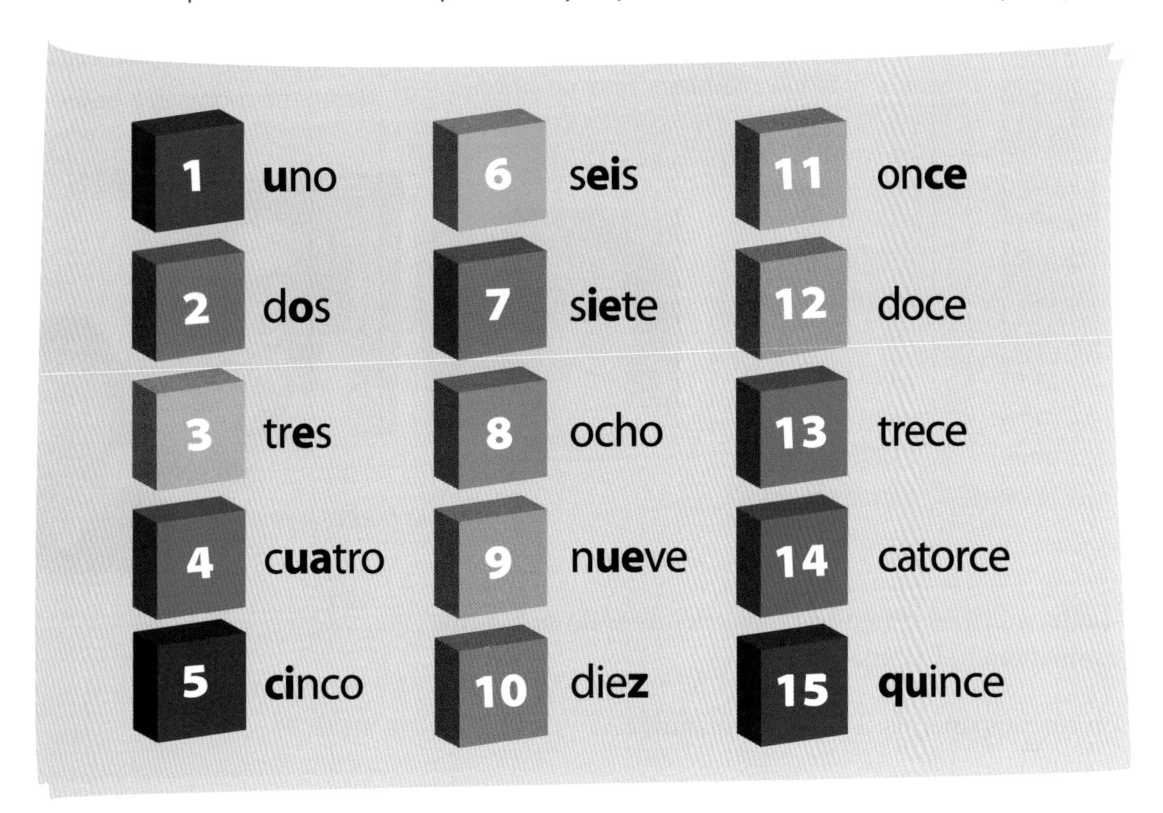

Con tu compañero/a, ¿cómo se pronuncia? Escucha y comprueba.
Discuss with your partner how to pronounce these words. Listen and check. See who was closest!

a 16 dieciséis **b** 17 diecisiete **c** 18 dieciocho **d** 19 diecinueve **e** 20 veinte

Escucha y escribe. (1–5)

Play finger twister. Put your finger on the sound you hear.
First do it with the recording, then with your partner.

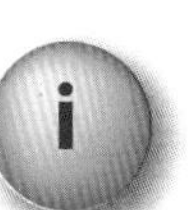

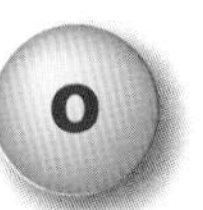

Puente: Masculino/Femenino

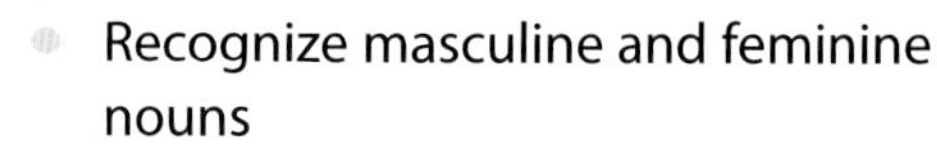

- Recognize masculine and feminine nouns
- Use *un/una* and *el/la/los/las*
- Name members of the family
- Name places in a town
- Name the rooms in a house

¡A sus marcas!

Copia y rellena el cuadro.

Copy and complete the table of family members with 'un' or 'una'.

un hermano	a brother
una hermana	a sister
_____ tío	an uncle
_____ tía	an aunt
_____ primo	a boy cousin
_____ prima	a girl cousin
_____ abuelo	a grandfather
_____ abuela	a grandmother

yo

mi padre

mi madre

mis padres y yo

1 ESCUCHAR Escucha a Carlos y memoriza los miembros de su familia. Con tu compañero/a, haz una lista.

2 HABLAR Con tu compañero/a. Describe tu familia.
Ejemplo: Tengo…

3 HABLAR ESCUCHAR Pronuncia las palabras. Luego escucha y comprueba.

Lugares de la ciudad

a

un supermercado

b

una piscina

c

una playa

d

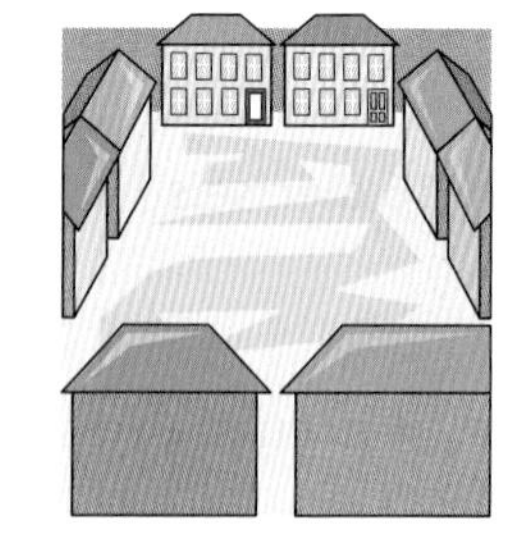

una plaza

e

un ayuntamiento

f

una tienda

g

un hotel

Zoom *gramática*

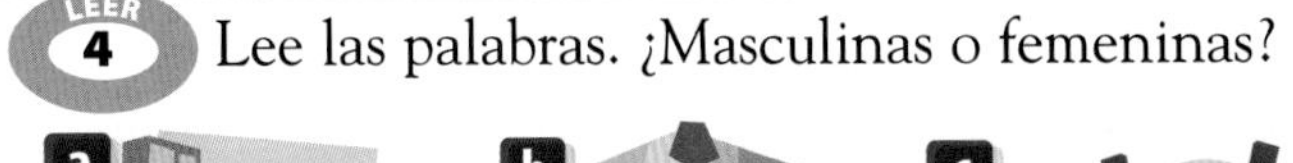

▶ 132

Gender of nouns

All nouns in Spanish are either masculine or feminine.

Words ending in *o*, *ón*, *ín*, *or*, *ema*, *el* are usually masculine.
Words ending in *a*, *tud*, *dad*, *ión* are usually feminine.

LEER 4 Lee las palabras. ¿Masculinas o femeninas?

a 
dormitorio

b 
salón

c 
comedor

d 
cocina

e 
cuarto de baño

f 
jardín

g 
despacho

ESCUCHAR 5 Escucha la canción y señala las palabras en la página a medida que se mencionan.
Listen to the song and point to the words on the page as you hear them.

HABLAR 6 Con tu compañero/a. Juega a 'un… una…'.

Ejemplo: A: Un…
B: supermercado

LEER 7 Empareja el español con el inglés.

a Tengo un televisor en **el salón**.
b Vivo cerca de **la playa**.
c No me gustan **los supermercados**.
d Me gustan **las tiendas**.

1 I live near the beach.
2 I have a TV in the living room.
3 I like the shops.
4 I don't like the supermarkets.

LEER 8 Busca las cuatro formas de decir 'the' en español. Explica la diferencia.
Find the four ways of saying 'the'. Explain the difference.

Reto Copia y completa.

En mi familia tengo un *** y una ***.

En mi casa hay un *** y una ***.

En mi ciudad hay un *** y una ***.

Puente: Hablar en clase

- Understand instructions and classroom language
- Name school subjects
- Give your opinion

¡A sus marcas!

How many instruction words have you heard your teacher use in Spanish?

1 Escucha, lee y haz los ejercicios de aerobic.

a 

Levantaos.

b 

Sentaos.

c 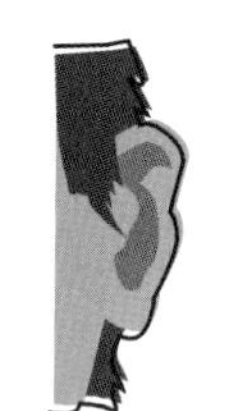

Escuchad.

d 

Sacad las cosas.

e 

Recoged las cosas.

f 

Abrid los libros.

g 

Levantad la mano.

h 

Silencio.

i 

Escribid.

2 Empareja el español con el inglés.

Ejemplo: a 6

a No tengo mi mochila.
b He olvidado el libro.
c He terminado.
d He hecho los deberes.
e Necesito un bolígrafo.
f ¿Qué significa 'cuaderno'?
g No sé.

1 I don't know.
2 I've forgotten my book.
3 I've finished.
4 I've done my homework.
5 What does 'cuaderno' mean?
6 I haven't got my school-bag.
7 I need a pen.

3 Escucha y repite.

Listen and repeat, copying Paquito and the teacher.

Lee y busca las asignaturas. Con tu compañero/a, explica cómo se pronuncian. Escucha, comprueba y repite.

Mi asignatura preferida es el español y el profesor es fantástico. Me gusta la historia. Es fácil. Pero no me gusta la geografía. Es muy difícil. Las matemáticas son interesantes y las ciencias son divertidas porque me gustan los experimentos. El inglés es útil. Me gustan la tecnología y la informática. Odio la educación física. Estudio también dibujo y música. Prefiero el dibujo porque me gusta pintar.

Ángela

5 Lee el texto otra vez y busca estas palabras.

a fantastic **b** easy **c** hard **d** interesting **e** fun **f** useful

6 Copia y rellena el cuadro para Ángela.

Asignatura	♥	✗♥	Porque...
español	♥		profesor fantástico

Copy the version that is closest to your own opinion:

Mi asignatura preferida es el inglés / español.
Me gusta la música / educación física porque es divertida / interesante.

No me gustan las ciencias / matemáticas porque son aburridas / difíciles.

Puente: Verbos y frases

- Use infinitives
- Use *-ar* verbs in the present tense
- Use connectives
- Talk about your free time

¡A sus marcas!

Lee y escucha. Haz una lista de las actividades que menciona Adam.
Make a list of the activities Adam mentions. They all end in *-ar*.

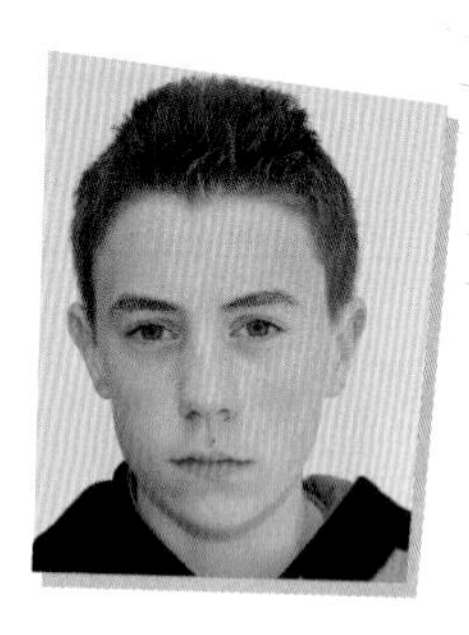

Me gusta montar en bicicleta y nadar en la piscina. No me gusta jugar al fútbol, prefiero el tenis. En el colegio tengo que jugar al fútbol en educación física. Me gusta la música. No sé tocar ningún instrumento, pero me encanta escuchar la radio.

LEER 1 ¿Verdad (✔) o mentira (✘)?

- **a** Adam likes to ride a bike.
- **b** He likes to swim in the sea.
- **c** He doesn't like playing football.
- **d** He prefers playing basketball.
- **e** He has to play rugby in PE.
- **f** He knows how to play an instrument.
- **g** He loves listening to the radio.

Zoom gramática

Infinitives

▶ 139

The infinitive means 'to do' something.
In Spanish, there are three infinitive endings: *-ar*, *-er* and *-ir*.

jugar – to play *ver* – to watch
vivir – to live

You use the infinitive after expressions like:

Me gusta (I like) *Me encanta* (I love)
Prefiero (I prefer)
Tengo que (I have to) *Sé* (I know how to)

NB In English you can say 'I like to play' or 'I like playing'.
In Spanish it is always *Me gusta jugar*.

LEER 2 Find examples of these expressions used with infinitives in Adam's text.

ESCRIBIR / HABLAR 3 Utiliza estas frases para preparar una exposición sobre tus ratos libres.
Use these phrases to prepare a presentation like Adam's.

practicar la equitación

practicar el atletismo

jugar al voleibol

ver la televisión

navegar por Internet

leer

hablar por teléfono

Zoom *gramática*

▶ 140

-ar verbs in the present tense

nadar	**to swim**
nado	I swim
nadas	you swim (singular)
nada	he/she swims
nadamos	we swim
nadáis	you swim (plural)
nadan	they swim

ESCRIBIR 4 Copia y escribe correctamente el verbo.

a osnamad en la piscina.
b Mi madre hescuca música pop.
c onomt en bicicleta.
d Mis hermanas natoc la guitarra.

LEER 5 Empareja el español con el inglés.

a Mis hermanos montan a caballo.
b Bailamos en la discoteca.
c Mi padre cocina muy bien.
d Mi hermana escucha a Enrique Iglesias.
e Colecciono pósters del Real Madrid.

1 My father cooks really well.
2 We dance in the disco.
3 My brothers go horse riding.
4 I collect Real Madrid posters.
5 My sister listens to Enrique Iglesias.

Reto II Make a verb chart in your exercise book, so you can look up *-ar* verb endings when you need them.

Puente: ¡Bienvenidos a *Amigos* 2!

The aim of *Amigos* is for you to enjoy learning to speak, write and understand Spanish.

- It shows you that what you know about your own language can help you understand Spanish.
- It explains clearly how the Spanish language works.
- It builds up knowledge and skills, using what you learn at each stage to help you with what comes next.

In *Amigos*, you will also find out about:

- places where people speak Spanish.
- what it is like to live there.

For example, you will find out more about Carlos, Fátima, Raquel, Adam and Jorge whom you met in **Amigos 1**.

Symbols and headings you will find in the book: what do they mean?

¡A sus marcas! — A starter activity

Zoom gramática — An explanation of how Spanish works

Técnica — Strategies to help you learn

Cultural information

Frases clave — Useful words and expressions

Reto — A plenary activity

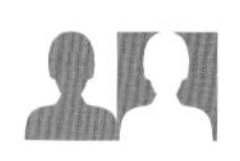
Work with a partner

A singing activity

ESCUCHAR — A listening activity

A speaking activity

A reading activity

A writing activity

Repaso	Activities to revise the language of the previous unit
Vocabulario	Unit vocabulary list
Ya sé…	Bilingual unit checklist
Técnica	Learning strategy pages
Uno	Reinforcement activities
Dos	Extension activities
Lectura	Reading pages
Gramática	Grammar reference
Glosario	Bilingual glossary

La comida

1

- **Contexts**: opinions on food, shopping for food, ordering in a café, Spanish food
- **Grammar**: *-er* verbs. Numbers 10–1000, *Quiero…*
- **Language learning**: planned and rehearsed dialogues, prepared but improvised dialogues.
- **Cultural focus**: money, politeness

ESCRIBIR **1** Piensa en cuatro amigos, familiares o famosos, y escoge un menú para cada uno de ellos. Haz un póster.

Think of four people: friends, family or celebrities and choose a menu for each of them. Make a poster.

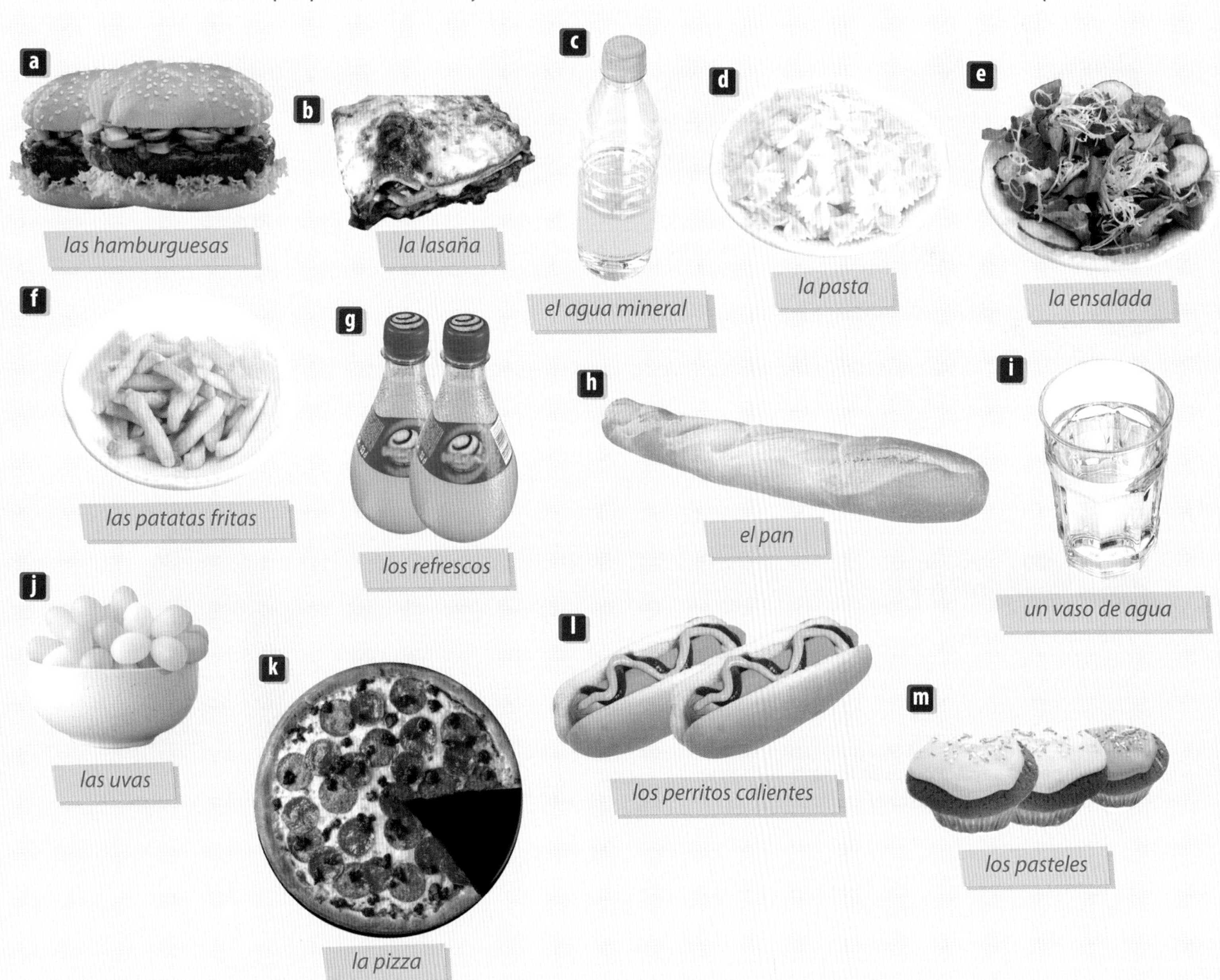

1.1 Me gusta comer…

- Talk about different types of food
- Give opinions about food
- Talk about what other people like to eat and drink

¡A sus marcas!

Mira los dibujos. ¿Cómo se pronuncian en español? Escucha y repite.

Look at the pictures. How are they pronounced in Spanish? Listen and repeat.

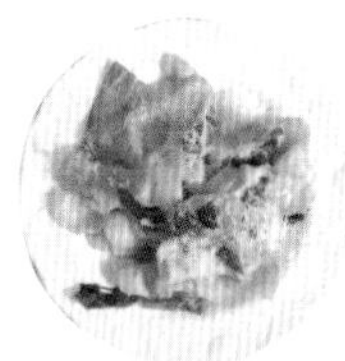

la pasta

la ensalada

la carne

la fruta

el helado

la comida rápida

la comida china

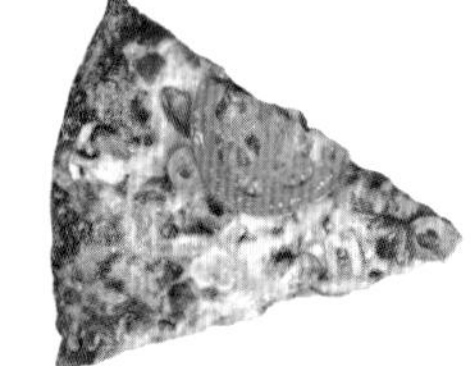

la comida italiana

la comida mexicana

la comida vegetariana

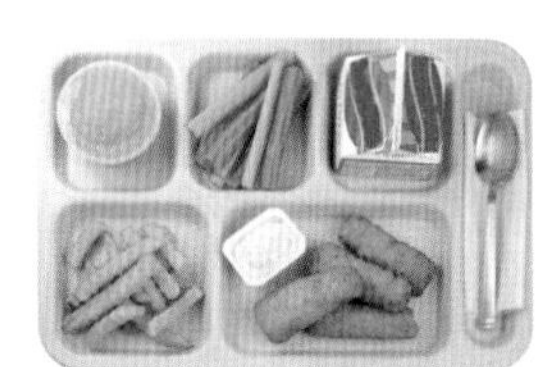

la comida del colegio

Copia y rellena el cuadro. ¿Qué te gusta comer?

	Me encanta…	Me gusta…	Me da igual…	No me gusta…
La pasta		✓		

me da igual **it's OK/I don't mind**

Zoom gramática

▶ 132

The definite article

In Spanish you use the definite article *el/la/los/las* when a noun is used in a generalization.
Remember to say *Me gusta **la** fruta* in the same way that you say *Me gusta **el** inglés, me gusta **la** geografía.*

But if you want to say 'I like eating fruit' you say *Me gusta comer fruta* without *la*.

Escucha. ¿Cuántas cosas le gustan?

Con tu compañero/a. Pregunta y contesta.

Ejemplo: A: ¿Te gusta la pasta?
B: Sí, me encanta la pasta.

4 Lee e identifica a la persona.

Ejemplo: **a** Likes pizza. *Fátima*

- **a** Likes pizza.
- **b** Likes fast food.
- **c** Parents go to the bar for a meal.
- **d** Dad likes pasta but Mum says you can eat that at home!
- **e** Eats salad and fruit at home.
- **f** Is a vegetarian.

Cuando como fuera de casa me gusta ir a un restaurante italiano porque me encanta comer pizza. Pienso que es deliciosa. Si voy a un restaurante italiano con mi familia, mi padre come pasta, lasaña, por ejemplo. ¡Pero mi madre dice que la pasta se puede comer también en casa!

Fátima

Mis padres comen en un bar. A mí no me gusta porque se come mucha carne y yo sólo como verduras, no como carne. Prefiero comer pasta o ensaladas en casa, porque la comida en restaurantes no es muy buena.

Adam

Mi favorita es la comida rápida. Me encanta comer hamburguesas, perritos calientes, patatas fritas y helado. En casa comemos ensalada y fruta y bebemos agua. Entonces, cuando voy a un restaurante con mis amigos, quiero algo diferente.

Raquel

Zoom *gramática*

▶ 140

-er verbs

comer	to eat
beber	to drink

Notice that these infinitives end in *-er*. The endings change as follows, according to the person (I/you/he/she, etc.)

*com**o***	I eat
*com**es***	you eat (singular)
*com**e***	he/she eats, you (*usted*) eat
*com**emos***	we eat
*com**éis***	you eat (plural)
*com**en***	they eat, you (*ustedes*) eat

5 Now write out the verb *beber* for the different persons.
Example: Bebo…

6 Busca estas frases en español en los textos del ejercicio 4.

- **a** I love to eat...
- **b** I don't eat...
- **c** My parents eat...
- **d** We eat...
- **e** We drink...
- **f** I prefer to eat...

Frases clave ▶ 27

si
cuando
entonces
y
pero
pienso que
dice que
ir
voy
casa
restaurante

Reto Completa las frases del ejercicio 6 para escribir un párrafo sobre tu familia.
Complete the sentences from exercise 6 in Spanish. Use them to write a paragraph about your family.

1.2 Quiero un kilo de...

- Name different foods in Spanish
- Ask for food in a shop
- Talk about quantities and prices
- Express yourself politely

¡A sus marcas!

a Busca el intruso en cada sección de la tienda.
Look for the odd-one-out in each section of the shop.

b Escucha y comprueba tus respuestas.

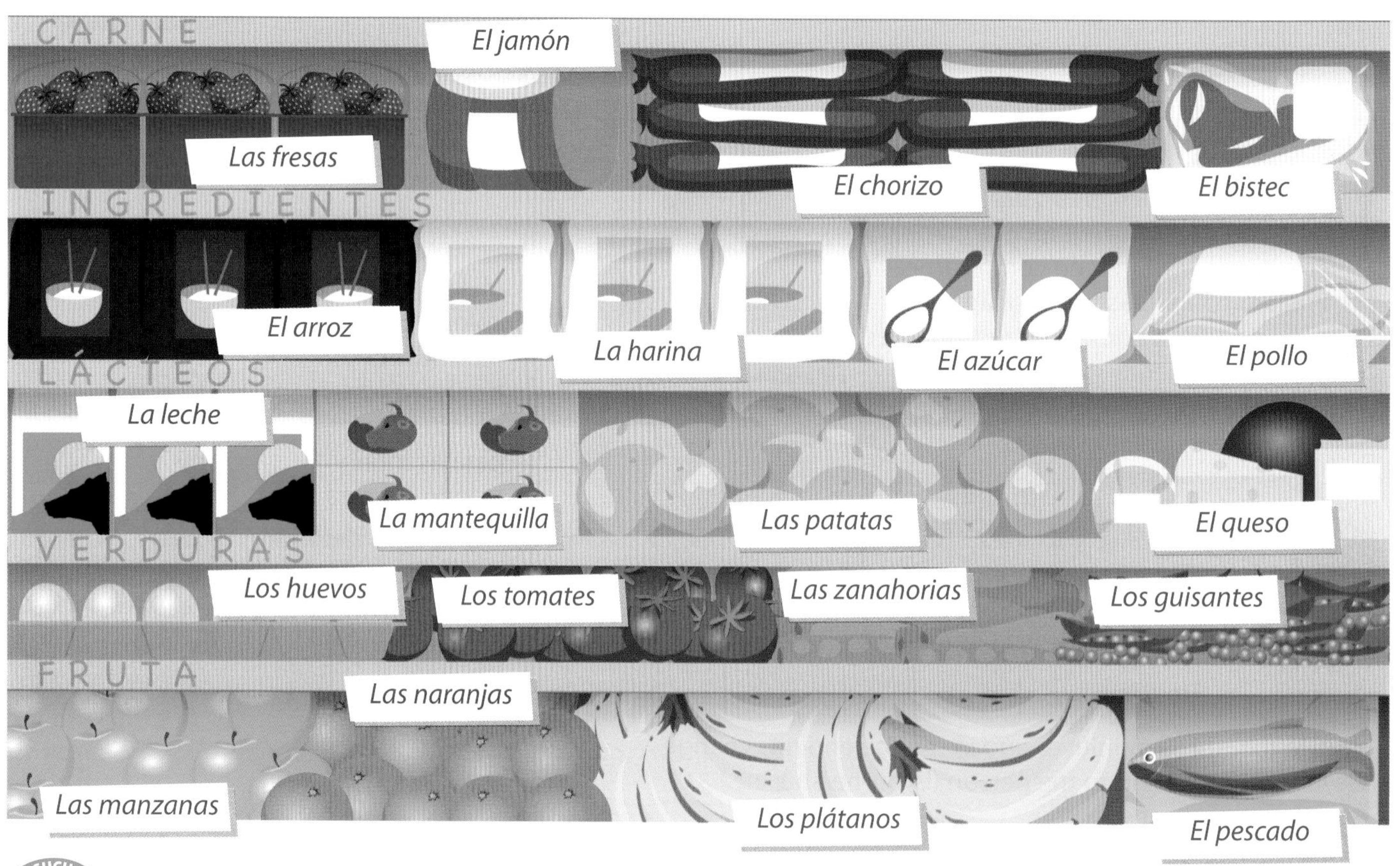

ESCUCHAR 1 LEER Escucha y lee. Copia y completa el diálogo.

Dependiente:	¿Qué desea?
Jorge:	Quiero tres ✻✻✻.
Dependiente:	Aquí tiene. ¿Algo más?
Jorge:	Sí. Quiero ✻✻✻.
Dependiente:	No tengo queso. ¿Algo más?
Jorge:	Quiero cinco ✻✻✻.
Dependiente:	Aquí tiene. ¿Algo más?
Jorge:	No. ¿Cuánto es?
Dependiente:	Un euro con sesenta céntimos.

queso plátanos tomates

el dependiente **shopkeeper**

Frases clave ▶ 27

¿Qué desea?
Quiero...
Aquí tiene
¿Algo más?
¿Cuánto es?
(Es/Son)... euro(s)... céntimos

HABLAR 2  Con tu compañero/a, practica el diálogo del ejercicio 1 con otros alimentos.
Practise the dialogue from exercise 1 using different food items.

Zoom gramática

▶ 140

Tú, usted, vosotros and ustedes

There are four words for 'you' in Spanish.

Tú is used when you talk to a friend or relative. *Vosotros* is used when you talk to more than one friend or relative.

When you are in a formal situation or talking politely to a stranger, *usted* is used for one person, and *ustedes* for more than one person.

Look carefully at these two forms of *tener* and compare them with the verb table underneath.

*Aquí **tiene**.*	Here you are.
*¿**Tiene**...?*	Have you got…?
tengo	I have
tienes	you (*tú*) have
tiene	he/she has, you (*usted*) have
tenemos	we have
tenéis	you (*vosotros*) have
tienen	they have, you (*ustedes*) have

You can see that *usted* uses the 3rd person form.

3 Can you find one more example of a verb in the *usted* form on this spread?

4 Empareja las cantidades con la comida. Escucha y comprueba.

a 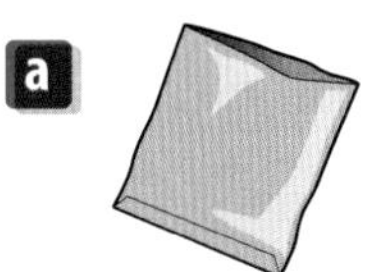
una bolsa de

b 

un kilo de

c 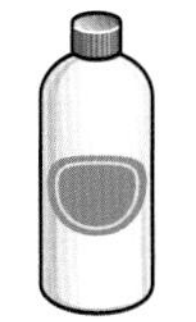
una botella de

d ½ l
medio litro de

e 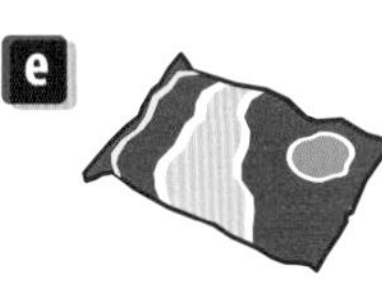
un paquete de

f *una barra de*

g *una docena de*

h 
una lata de

i 500g
quinientos gramos de

j 

doscientos gramos de

1	queso	**6**	pan
2	manzanas	**7**	agua
3	huevos	**8**	tomates
4	sardinas	**9**	leche
5	patatas fritas	**10**	jamón

Frases clave ▶ 27

80	ochenta
90	noventa
100	cien
200	doscientos
300	trescientos
400	cuatrocientos
500	**quinientos**
600	seiscientos
700	**setecientos**
800	ochocientos
900	**novecientos**
1000	mil

5 Escribe un diálogo. Utiliza estas expresiones.
Use the frases clave and page 27 to write a better version of the dialogue in exercise 1.

Frases clave ▶ 27

¿Qué le pongo?
¿Tiene…?
Lo siento
Déme…
¿Es todo?
Sí, nada más, gracias.
¿Cuánto quiere?
Por favor
Gracias

Reto Con tu compañero/a, practica un diálogo utilizando estos dibujos.

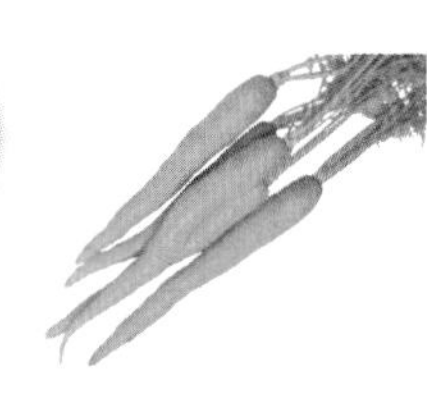

1.3 En un café

- Order food and drink in a bar, café or restaurant
- Pay the bill

¡A sus marcas!

Piensa qué frases de la tienda pueden resultar útiles en un café.
Which of these shop expressions do you think might be useful in a café?

¿Qué desea? ***Aquí tiene.*** ***¿Cuánto quiere?*** ***¿Cuánto es?*** ***Una botella de…*** ***Un kilo de…***
Lo siento, no tengo. ***¿Algo más?*** ***¿Tiene…?*** ***Quiero…*** ***Déme…*** ***Gracias.*** ***Nada más.***

Escucha y apunta lo que piden.
Listen and note down what they order.
Ejemplo: Carlos: b, f, …

Carlos *Raquel* *Fátima* *Adam*

a

un refresco

b

una botella de agua

c

un café con leche

d

un café solo

e

un té

f

un bocadillo de jamón

g
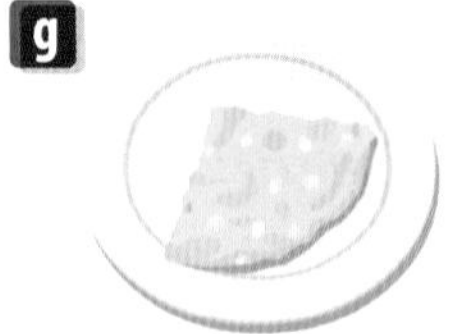
una ración de tortilla

h

una ensalada

i

unas aceitunas

j

un plato de patatas fritas

Lee el diálogo. Busca estas expresiones.

a Do you have a table for two?
b For me…
c For him…
d And for you?
e At once.
f Bon appetit.
g Can we have the bill, please?

Fátima: Hola. ¿Tiene una mesa para dos?
Camarero: Siéntense aquí. ¿Qué van a beber?
Fátima: Para mí, un café con leche.
Camarero: ¿Y para usted, señor?
Adam: Quiero un refresco.
Camarero: ¿Algo para comer?
Fátima: Para mí unas aceitunas, y para él unas patatas fritas.
Camarero: Enseguida.
…
Camarero: Aquí tienen. ¡Que aproveche!
Fátima: Gracias. … Nos trae la cuenta por favor.
Camarero: Son tres euros cincuenta.

3 Con tu compañero/a, practica el diálogo del ejercicio 2. Cambia las palabras subrayadas.
Use the menu to work out the prices.

CAFÉ DE LOS CUATRO VIENTOS

MENÚ

Bebidas	
Café con leche	1,00 €
Café solo	1,00 €
Refresco	1,00 €
Agua mineral	1,00 €
Tapas	
Aceitunas	0,50 €
Tortilla	1,50 €
Raciones	
Ensalada	2,00 €
Bocadillo de queso	2,50 €
Bocadillo de jamón	2,50 €
Postres	
Helado de vainilla	3,00 €
Helado de fresa	3,00 €
Helado de chocolate	3,00 €

Cultura **Eating out**

Tapas are small portions of food served to accompany a drink.
Una ración is a larger portion.
Postre means 'dessert'.
On a restaurant menu, ***primer plato*** and ***segundo plato*** are 'starter' and 'main course'.
Prices are sometimes cheaper if you are sitting at the bar rather than at a table. A table outside may also be more expensive.

4 Escucha y apunta los errores.
Look at what the waiter has brought.
Listen and note down the mistakes.

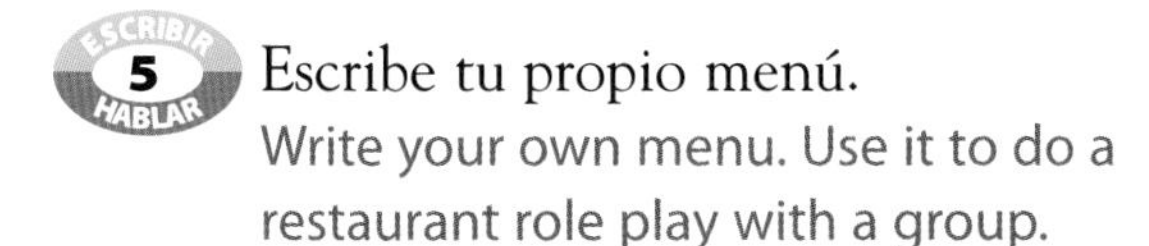

5 Escribe tu propio menú.
Write your own menu. Use it to do a restaurant role play with a group.

Frases clave ▶ 27

¿Qué va a beber?
¿Qué va a comer?
¿Qué va a cenar?
¿Algo para comer?
¿Y de postre?
¡Que aproveche!

Reto Lee y copia las frases que se refieren a ti.
Read and copy out the sentences that apply to you from doing exercise 5.

I could be a waiter.
I could be a customer.
I needed to plan.
I could make it up as I went along.
I got stuck on numbers.
I worked best with my usual partner.
I kept going.
I only spoke Spanish.
I could work with lots of partners.
I spoke some English.
I had to look at the dialogue in my book.
I could do the bill and numbers.

1.4 La comida en España

FÁTIMA
te invita a
Una fiesta de cumpleaños
El siete de julio
Por favor: Trae algo para comer o bebida

Raquel: ¿Vas a ir a la fiesta de Fátima?
Adam: Sí, voy a ir. ¿Qué comida vas a llevar?
Raquel: Voy a hacer una tortilla española. Es deliciosa.
Adam: ¿Qué es una tortilla española?
Raquel: Es típica de España. Está hecha de huevos y patatas. Se sirve caliente o fría. Como tortilla a menudo, una vez por semana.

Adam: Carlos, ¿qué vas a llevar a la fiesta?
Carlos: Quiero hacer una paella.
Adam: ¿Qué es paella?
Carlos: ¿Paella? Es muy sabrosa. Es típica de Valencia. Se hace con arroz y carne o pescado.
Adam: ¿Comes paella a menudo?
Carlos: A veces, en ocasiones especiales.
Adam: No como nunca carne. Soy vegetariano.

Carlos: ¿Y tú? ¿Qué vas a llevar?
Adam: Voy a comprar unos refrescos y unas bolsas de patatas fritas.
Carlos: ¿Comes patatas a menudo?
Adam: Sí, todos los días.

Carlos y Raquel: ¡Típico de Inglaterra!

es muy sabroso	**it's delicious**
bolsa de patatas fritas	**bag of crisps**

1 Escucha y lee.

2 Contesta a las preguntas.

a What is Raquel taking to the party?
b What is Carlos taking to the party?
c What is Adam taking to the party?
d How many are taking food that contains potatoes?
e Who is taking food that contains rice?
f Who is taking typical Spanish food?
g Who is taking something to drink?
h Who is taking something vegetarians won't eat?
i Who is taking something that can be served hot or cold?

3 Empareja el español con el inglés.

a	a menudo	**1**	once a week
b	todos los días	**2**	often
c	una vez por semana	**3**	never
d	nunca	**4**	sometimes
e	a veces	**5**	on special occasions
f	en ocasiones especiales	**6**	every day

4 Haz una lista de comida y haz una encuesta.

Frases clave ▶ 27

traer
llevar
hacer
comprar
la comida
la bebida

1.5 Entre amigos

Las tapas

Tapas

España es famosa por las tapas, platos que se sirven como acompañamiento de una bebida en un bar.

Las más típicas son las aceitunas, el jamón serrano, la tortilla, las albóndigas, el queso manchego, las gambas, las patatas bravas: son los clásicos.

En algunos sitios se sirven tapas que son gratuitas, pero muchas veces hay un menú con precios. Normalmente una tapa es un plato pequeño, y una ración es más grande. En el País Vasco, las tapas se llaman 'pintxos'.

Los 'pintxos' del País Vasco por lo general son más pequeños y se comen de pie y sin plato, además suele irse de bar en bar. En el sur es más común quedarse en el mismo bar y sentarse a una mesa.

Algunas tapas típicas y sus ingredientes son:

Pudín de espinacas
espinacas, cebolla, tomates, aceite de oliva, gambas, huevos, leche

Patatas a la importancia
patatas, jamón, queso, huevo, harina, aceite de oliva, vino blanco

Tomate relleno de atún
atún, perejil, tomates, vinagre, ajo, cebolla

Ensalada de calabaza, castañas y queso feta
lechuga, queso feta, cebolla, granadas, castañas, calabaza, vinagre, aceite de oliva

Pastel de anchoa
patatas, anchoas, tomates, aceitunas, vinagre, aceite de oliva

1 ESCUCHAR LEER

Escucha y lee. Cierra el libro. ¿Cuántos alimentos recuerdas?
Listen and read, then close your book. How many food items can you remember? Tell your partner in Spanish.

2 LEER

¿Verdad (✔) o mentira (✘)?
True or false?

- **a** Tapas are served with drinks in a bar.
- **b** Sometimes they are free with the drink.
- **c** *Una ración* is smaller than *una tapa.*
- **d** In the Basque Country, tapas have a different name.
- **e** Tapas are the same throughout Spain.
- **f** In the Basque Country they are smaller.
- **g** In the south you eat sitting down at a table.
- **h** In the Basque Country people move from bar to bar eating tapas

3 LEER

Lee los nombres de los ingredientes de las tapas. Luego copia y rellena el cuadro.
Look back at the ingredients of the tapas. Then copy and complete this grid.

Ingredients I know	Ingredients I can work out	Ingredients I don't know
Tomates		

4 LEER

Empareja los nombres de las tapas en inglés con sus equivalentes en español.
Here are the names of the tapas in English. Match them with their Spanish names as on page 24.

Potatoes of Great Importance | *Tuna stuffed tomato* | *Anchovy loaf* | *Pumpkin, chestnut and feta salad* | *Spinach loaf*

5 LEER ESCUCHAR

Busca los equivalentes en español. Escucha y comprueba
Here is a list of all the ingredients. Find them in Spanish on page 24. Listen and check.

onion, tomatoes, prawns, spinach, olive oil, milk, pumpkin, ham, potatoes, cheese, flour, white wine, anchovies, olives, chestnuts, vinegar, tuna, parsley, garlic, lettuce, pomegranate, eggs

6 ESCRIBIR

Escribe un párrafo en inglés sobre las tapas y los platos en la página 24.
In English, write one paragraph giving your opinion of tapas, and another about the food on page 24.

1 Repaso

1 Escribe las frases en español utilizando la forma correcta del verbo.

Ejemplo: a No *como* carne.

a I don't eat meat.	No (comer) carne.
b My parents drink with some friends.	Mis padres (beber) con unos amigos.
c We eat at home.	(Comer) en casa.
d She drinks water at school.	(Beber) agua en el colegio.
e I don't like drinking coffee.	No me gusta (beber) café.

2 ¿Verdad (✔) o mentira (✘)?

a Un kilo de tomates cuesta un euro con diez céntimos.
b Doscientos gramos de queso cuestan un euro con cuarenta céntimos.
c Dos botellas de agua cuestan un euro.
d Medio kilo de plátanos cuesta sesenta y cinco céntimos.

Tomates 1,10 € el kilo
Queso 0,80 € los cien gramos
Agua 0,50 € la botella
Plátanos 1,30 € el kilo

3 Escucha (1–3). Copia y rellena el cuadro.

1	dos botellas	1,50 €
2 jamón		0,90 €
3 tomates	cinco	

4 Con tu compañero/a. Utiliza la información del ejercicio 3 para hacer un diálogo.

Tipos de comida	*Types of food*
la carne	*meat*
la ensalada	*salad*
la fruta	*fruit*
la pasta	*pasta*
la comida china	*Chinese food*
la comida del colegio	*school food*
la comida italiana	*Italian food*
la comida mexicana	*Mexican food*
la comida rápida	*fast food*
la comida vegetariana	*vegetarian food*
el postre	*dessert*
las tapas	*bar snacks*
el bocadillo	*sandwich*

La comida	*Food*
las aceitunas	*olives*
las fresas	*strawberries*
las manzanas	*apples*
las naranjas	*oranges*
las patatas	*potatoes*
los plátanos	*bananas*
los tomates	*tomatoes*
las zanahorias	*carrots*
el azúcar	*sugar*
el bistec	*steak*
el chorizo	*sausage (chorizo)*
los huevos	*eggs*
el jamón	*ham*
la leche	*milk*
el pescado	*fish*
el pollo	*chicken*
el queso	*cheese*
las hamburguesas	*burgers*
el helado	*icecream*
la lasaña	*lasagne*
el pan	*bread*
los pasteles	*cakes*
las patatas fritas	*chips or crisps*
los perritos calientes	*hotdogs*
la pizza	*pizza*

Las bebidas	*Drinks*
el agua mineral	*mineral water*
el café con leche	*white coffee*
el café solo	*black coffee*
los refrescos	*fizzy drinks*
el té	*tea*
un vaso de agua	*a glass of water*
un zumo de naranja	*an orange juice*

En la tienda	*Shopping*
¿Qué desea?	*What would you like?*
¿Qué le pongo?	*What can I get you?*
¿Cuánto quiere?	*How much do you want?*
Quiero	*I want*
Déme	*Give me*
¿Tiene…?	*Have you got…?*
¿Algo más?	*Anything else?*
¿Es todo?	*Is that all?*
¿Cuánto es?	*How much is it?*
(Son) tres euros.	*It is three euros.*
Lo siento	*I'm sorry*

En el café	*In a café*
la cuenta	*the bill*
Nos trae la cuenta.	*Can we have the bill?*
Enseguida	*At once*
¡Que aproveche!	*Bon appetit!*
¿Qué va a beber/comer?	*What are you going to drink/eat?*
¿Algo para comer?	*Anything to eat?*
¿Y de postre?	*And for dessert?*
la comida	*lunch*
la cena	*evening meal*
el restaurante	*restaurant*
la ración	*portion*

Cantidades	*Quantities*
una barra de	*a loaf of*
una bolsa de	*a bag of*
una botella de	*a bottle of*
un docena de	*a dozen*
un kilo de	*a kilo of*
una lata de	*a tin of*
medio litro de	*half a litre of*
un paquete de	*a packet of*
medio kilo/quinientos gramos de	*half a kilo/500 grammes of*

Verbos	*Verbs*
beber	*to drink*
comer	*to eat*
comprar	*to buy*
hacer	*to make*
traer	*to bring*
llevar	*to take*

La frecuencia	*Frequency*
a menudo	*often*
a veces	*sometimes*
nunca	*never*
todos los días	*every day*
una vez por semana	*once a week*

1 Ya sé...

I know how to...

- give opinions about food: *Me encanta la fruta. Odio la comida rápida.*
- use the definite article with generalizations: *Me gusta la pasta. No me gustan los plátanos.*
- use *-er* verbs to talk about what people eat and drink: *como, comes, come; bebo, bebes, bebe*
- ask for food in a shop: *Quiero... ¿Tiene...?*
- serve in a shop: *Aquí tiene. Lo siento no tengo... ¿Algo más?*
- deal with quantities and money: *Un kilo de tomates. Un litro de agua. Un paquete de patatas fritas. Un euro con cincuenta, sesenta céntimos.*
- use numbers between 100 and 1000: *Cien gramos. Quinientos gramos.*
- use the *usted* form to be polite: *¿Qué desea? ¿Tiene...?*
- order in a restaurant and play the role of waiter: *¿Qué desea? Quiero un refresco.*
- talk about different stages of a meal: *tapas, comida, bebida, segundo plato, postre*
- describe some Spanish and English foods: *Es típico de España. Está hecho de huevos. Se sirve caliente. Es muy sabroso.*
- say how often I eat something: *Como tortilla a menudo. No como nunca carne.*

Adelante

Write a menu for a café or restaurant of at least six items, to include food and drink. Add a price for each one.

Write a menu, including different courses and add prices.

Write a menu, as in (2). Choose 3–4 dishes and write a description of each one.

Me encuentro mal

2

- **Contexts**: parts of the body, illnesses, at the chemist
- **Grammar**: *me duele/me duelen*; recognizing the preterite tense
- **Language learning**: interjections to show sympathy and sound more Spanish; dictionary skills
- **Cultural focus**: pharmacists

LEER 1 Piensa de quién es cada parte del cuerpo.
Who do you think each body part belongs to?

Ejemplo: Tiene la cabeza de Spider-Man.

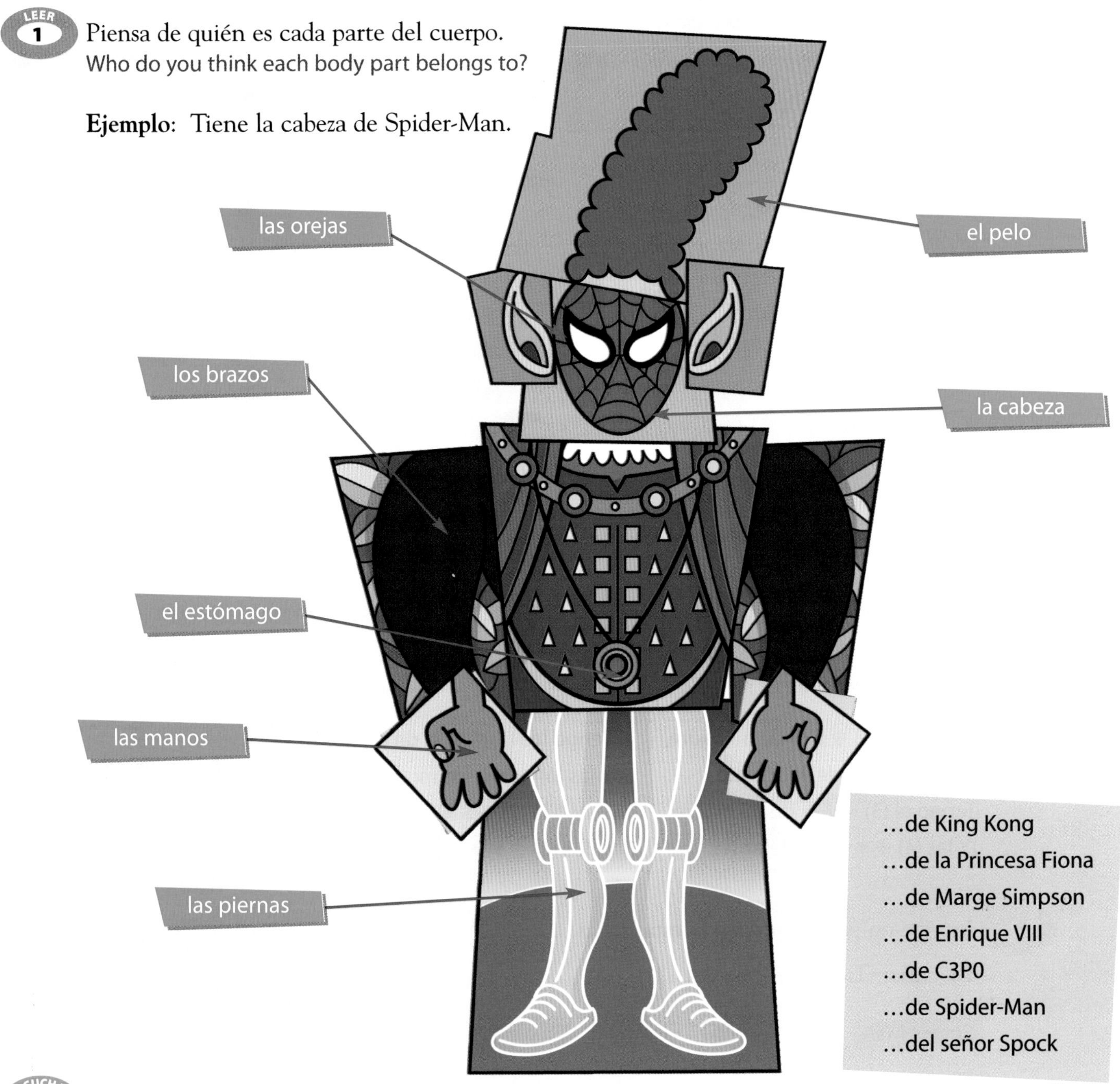

ESCUCHAR 2 Escucha y comprueba tus respuestas.

2.1 El cuerpo humano

- Name parts of the body

¡A sus marcas!

Mira los dibujos. Escucha y toca las partes del cuerpo a medida que se mencionan.
Look the pictures. Listen and touch each part of your body as it is mentioned.

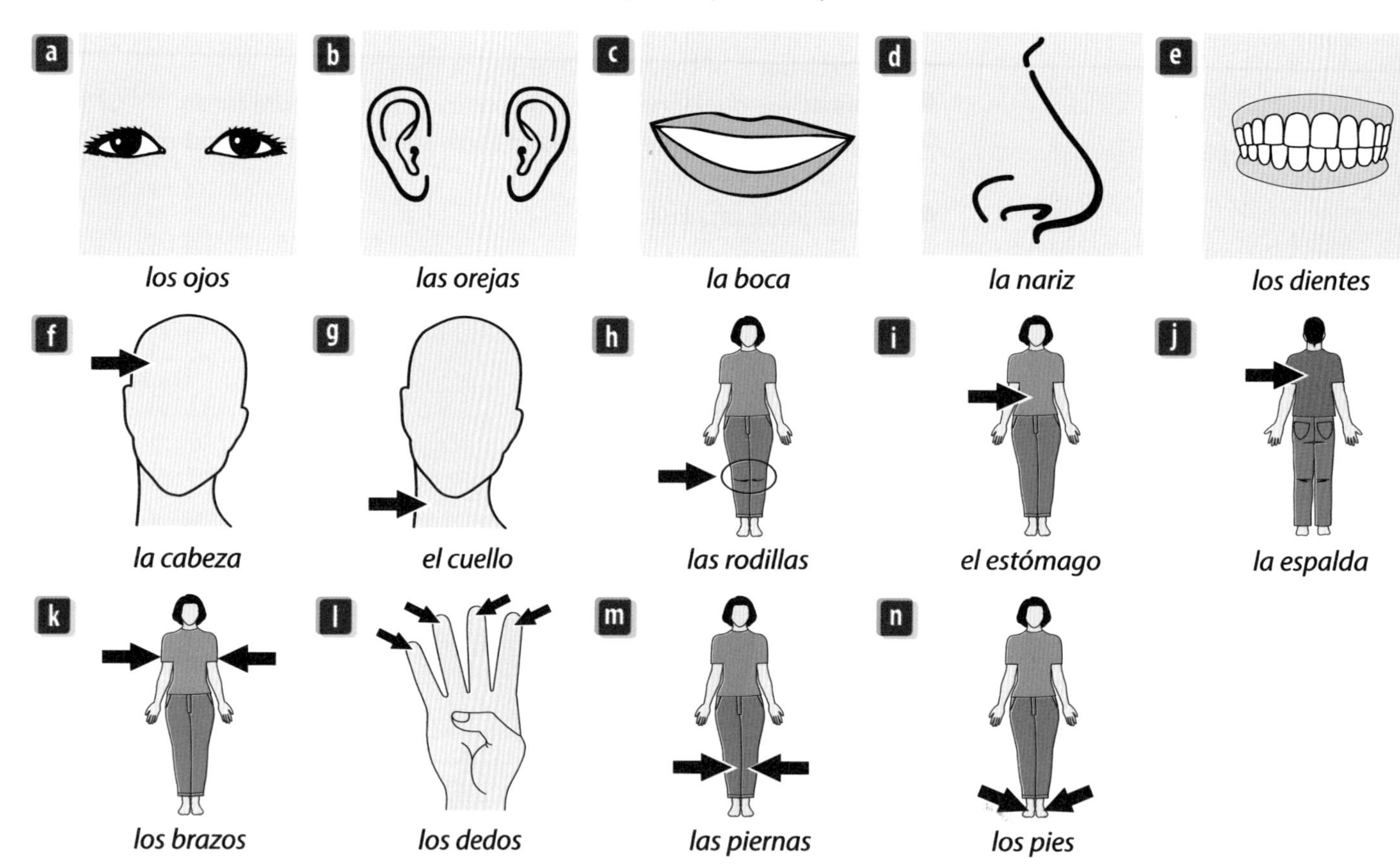

HABLAR 1 Con tu compañero/a. Uno nombra una parte del cuerpo y el otro tiene que tocarla.

ESCUCHAR 2 Escucha la canción y rellena los espacios.

Ejemplo: **1** ojos

Características de la familia

Tengo los (1) ✳✳✳ de mi padre,
Y la (2) ✳✳✳ de mi abuelo.
Tengo el (3) ✳✳✳ de mi madre,
¡Y las (4) ✳✳✳ de elefante!

Tengo los (5) ✳✳✳ de mi tío,
Y las (6) ✳✳✳ de mi tía.
Tengo la (7) ✳✳✳ de mi primo,
¡Y los (8) ✳✳✳ de vampiro!

ESCRIBIR 3 Escribe un poema utilizando estas ideas.

Ejemplo: Tienes los ojos de…

Spider-Man | Ronaldinho | Bambi | Victoria Beckham

Shrek | Jennifer Aniston | Brad Pitt | Julia Roberts

Tienes el pelo de…
Tienes los ojos de…
Tienes las orejas de…
Tienes los dientes de…
Tienes la boca de…
Tienes los pies de…
Tienes los músculos de…

4 LEER

Lee e identifica. ¿Quién es?

a Tiene la cabeza enorme. Tiene los brazos muy cortos y los pies grandes.

b Tienen sólo una cabeza pero cuatro brazos y tres piernas. Tienen un estómago grande. En la cabeza tienen cuatro ojos y dos narices.

c Tiene la cabeza pequeña y un estómago enorme. Tiene los brazos largos y los pies pequeños.

Raquel

Raquel y Carlos

Fátima

Carlos

5 ESCRIBIR

Escribe la descripción que falta utilizando como modelo las descripciones a–c.
Write a description of the remaining reflection, using descriptions a–c to help you.

6 ESCUCHAR LEER

Escucha y lee. Descubre el error de la descripción del monstruo.

Tiene una cabeza con dos ojos y dos narices.
Tiene una pierna y un brazo. No tiene orejas.

7 ESCRIBIR

Lanza el dado para crear un monstruo. Escribe su descripción.
Use dice to make up a monster. Write a description of it.

Ejemplo: Tiene…

cabeza

ojo

pierna

brazo

oreja

nariz

Reto

Piensa en tres técnicas que podrías utilizar para memorizar el vocabulario de esta página.
Think of three techniques you could use to memorize the vocabulary on this page.

2.2 Me duele…

- Talk about what hurts
- Express sympathy

¡A sus marcas!

¿Qué le duele a Carlos?
What does Carlos say hurts?

Me duele la cabeza, me duelen los ojos, me duele el estómago, me duele la nariz y me duelen las piernas. No quiero ir al colegio.

Zoom *gramática*

▶ 145

Saying what hurts

Me duele/Me duelen It hurts me/They hurt me

Me duele
Use this when one thing hurts:
Me duele el pie.

Me duelen
Use this when more than one thing hurts:
Me duelen los pies.

This may remind you of the difference between *me gusta* ('I like it') and *me gustan* ('I like them').

LEER 1 Choose *me duele* ('it hurts') or *me duelen* ('they hurt').

Ejemplo: **a** Me duele la cabeza.

Me duele…	***Me duelen…***
a … *la cabeza*	**e** … *las piernas*
b … *el pie*	**f** … *la garganta*
c … *el dedo*	**g** … *los pies*
d … *la espalda*	**h** … *los oídos*

LEER 2 Mira la foto y lee. Jorge exagera. ¿Qué cosa dice que le duele que no aparece marcada en la foto?
Jorge is exaggerating. What extra thing does he say hurts that is not indicated on the photo?

Ay, me encuentro mal. Me duele el estómago y me duele la garganta. Me duele la cabeza, y los ojos me duelen mucho. Me duelen los oídos y la espalda.

ESCUCHAR 3 Escucha a Raquel y a Fátima. Apunta qué le duele a Raquel.

Escucha y repite.

Técnica Sounding Spanish

Here are some useful little expressions to slip into the conversation in order to sound more Spanish.

¡Ay!	Ouch!
¡Pobre!	Poor thing!
¡Qué lástima!	What a shame!
¡No me digas!	You don't say!
No te preocupes.	Don't worry.
¿Qué te duele?	What hurts?
Me duele aquí.	It hurts here.

Con tu compañero/a. Prepara un diálogo similar para presentar a la clase.

Escribe un diálogo entre Raquel y el médico.
Utiliza la información del ejercicio 3.

el médico **doctor**

.3 Estoy enfermo

- Talk about illnesses
- Talk about symptoms
- Choose the word you look up in a dictionary

¡A sus marcas!

Mira los dibujos a–j. ¿Qué representan?

a 

Tengo fiebre.

b 

Tengo tos.

c 

Tengo un dolor aquí.

d 

Tengo gripe.

e 

Tengo un resfriado.

f 

Tengo una insolación.

g 

Tengo el brazo roto.

h 

Estoy enfermo/a.

i 

Estoy mareado/a.

j 

Estoy constipado/a.

Escucha. ¿En qué orden se mencionan?

Ejemplo: **1** b

Busca el significado exacto de las expresiones a–j en un diccionario.

Look up these expressions in a dictionary.
Give another reason why looking up *tengo* would not be helpful.

Técnica Using a dictionary

'It's not in the dictionary!'
Before using your dictionary or glossary, think carefully about which word to look up.

For example: *Tengo fiebre*

Reasons NOT to look up *tengo*:

1. Lots of things begin with *tengo* so you might not find the right one.
2. Pictures a–g all have *tengo*, so it isn't the most important bit.
3. *Tengo* is part of a verb, so you may only find the infinitive *tener*.

If you look up *fiebre*:

1. You will find it means 'fever'.
2. You can guess *tengo fiebre* means 'I have a temperature'.
3. The dictionary may give the example *tengo fiebre* – 'I have a temperature'.

Disculpas. ¿Cuántas puedes poner en un minuto?
Excuses. How many can you make in one minute?

a No puedo ver la televisión…
b No puedo ir al colegio…
c No puedo tocar la trompeta…
d No puedo escuchar música…
e No puedo hablar por teléfono…
f No puedo montar en bicicleta…

porque

1 …estoy enfermo.
2 …me duele la garganta.
3 …me duele el dedo.
4 …estoy mareada.
5 …me duelen los ojos.
6 …me duelen los oídos.

Lee y contesta a las preguntas. ¿Quién es?/¿Quiénes son?

Ejemplo: **a** Carlos, …

a Who can't go to the party?
b Who has a headache?
c Who has to go to hospital?
d Who has sunstroke?
e Who thinks they have a broken arm?
f Who says they can't go out at all?
g Who has had an accident?
h Who woke up late?
i Who fell off their bike?
j Who doesn't say sorry?

Querida Fátima,
Lo siento: No voy a ir a tu fiesta porque estoy enferma. Estoy mareada y me duele la cabeza. Fui a la playa y tengo una insolación. No puedo salir de casa.
Tu amiga,
Raquel

Fátima,
No puedo ir a la fiesta porque tengo gripe. Me desperté a las once. Tengo tos y me duele la cabeza. Lo siento mucho.
Carlos

Hola Fátima,
Creo que tengo el brazo roto. Me caí de la bicicleta. Voy a ir al hospital. No puedo ir a tu fiesta.
Adam

Zoom gramática

▶ 144, 146

Recognizing references to past and future

The end of the verb changes for different persons, but also to show different tenses. For the past tense, watch out for verbs ending in *-é* or *-í* in the first person.

In exercise 5, in which questions did you need to understand reference to the past or future?
Read the messages in exercise 5 again and find the following:
a Two examples of the immediate future ('I'm going to…').
b The Spanish for: 'I woke up', 'I went', 'I fell'.

Escribe a Fátima un mensaje explicándole por qué no puedes ir a la fiesta.

No puedo… | Tengo… | Estoy… | Me duele… | Lo siento… | Tengo que…

2.4 ¿Qué te pasa?

- Name some things you can buy at a chemist
- Discuss what is wrong and say what you need

¡A sus marcas!
How many words on this poster look like their English equivalents?

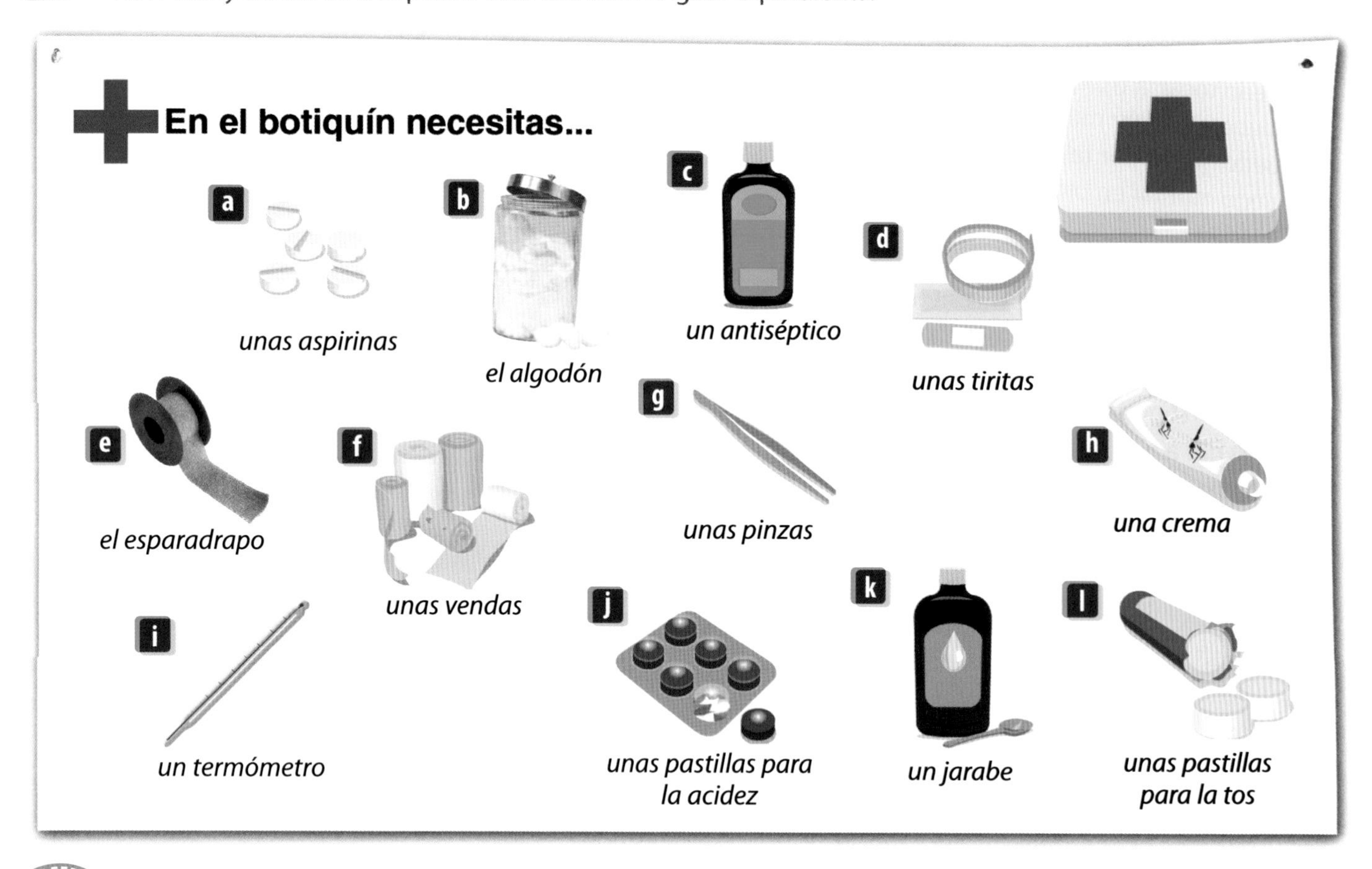

LEER 1 Empareja cada síntoma con lo que se necesita.

Ejemplo:

- **a** Creo que tengo fiebre.
- **b** Me duele la cabeza.
- **c** Tengo una picadura de insecto.
- **d** Creo que tengo el brazo roto.
- **e** Me corté el dedo.
- **f** Me duele el estómago.
- **g** Tengo tos.

1. Necesitas un termómetro.
2. Necesitas unas pastillas para la acidez.
3. Necesitas una venda.
4. Necesitas un jarabe o unas pastillas.
5. Necesitas unas pinzas y una crema antihistamínica.
6. Necesitas una tirita.
7. Necesitas unas aspirinas.

¿Qué te pasa? **What's wrong?**

ESCUCHAR 2 Escucha y comprueba tus respuestas.

Con tu compañero/a, practica un diálogo. Utiliza estos dibujos.

Ejemplo: A: ¿Qué te pasa?
B: Tengo tos.
A: Necesitas unas pastillas.

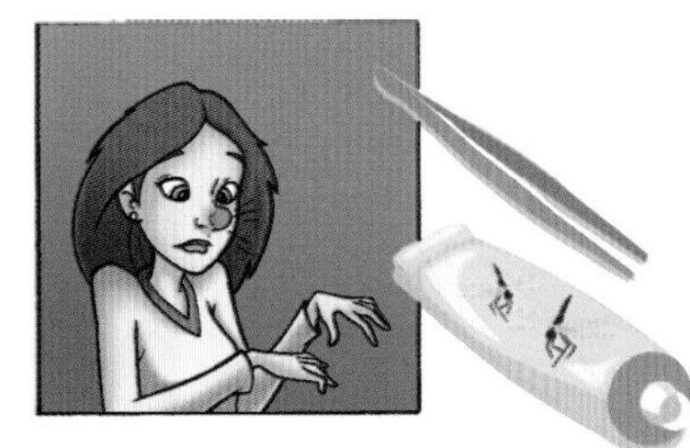

Lee. Empareja los remedios con los síntomas.

Síntomas

Tengo tos. | Tengo la pierna rota. | Me corté el dedo. | Me duele la cabeza.

Remedios

a Bebe mucha agua y toma dos aspirinas cada cuatro horas. Ve a la cama.
b Toma una cucharada de jarabe.
c Tienes que ir al hospital: ¡Llama una ambulancia!
d Necesitas limpiarte el dedo con un antiséptico y ponerte una tirita.

LEER 5 Lee estas expresiones y busca sus equivalentes en español en el ejercicio 4.

1 Drink lots of water.
2 Go to bed.
3 Take a spoonful.
4 Every 4 hours.
5 To go to hospital.
6 Call an ambulance.
7 You need to.
8 You have to.

El médico más rápido del mundo. Con tu compañero/a, uno dice los síntomas y el otro los remedios.
The fastest doctor in the world! In pairs, one person says the symptoms, the other the remedies.

¿Qué te pasa? | *Tengo...* | *Toma...* | *Estoy...*

Necesitas... | *Me duele...* | *Bebe...*

Create your own version of the first-aid poster, giving more guidance.

Ejemplo: ¿Tienes fiebre? Necesitas un termómetro.
Si te duele..., necesitas...

La medicina y la televisión

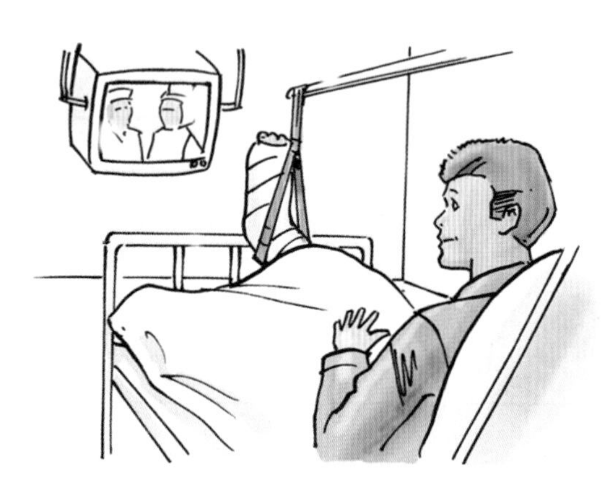

Las telenovelas de América Latina son populares en el mundo entero. Las ponen en la televisión en todos los países americanos, incluidos Los Estados Unidos. Además, se doblan a otros idiomas para que puedan verse en Rusia, Alemania, Francia... Pero a veces la realidad es más extraña que la ficción: investigamos las telenovelas y la medicina...

Telenovela en una clínica de Los Ángeles

En 'Al filo de la muerte', Tracy (la actriz Gabriela Rivera) trabaja en un hospital de Los Ángeles. Es enfermera. Su novio Sam Ross (el actor Antonio Escobar) es un policía corrupto. Sam asesina a un hombre y Tracy tiene que escapar. Se va a México y rehace su vida con una nueva identidad: ahora se llama Mariela y trabaja en un hospital del D.F. (la capital). El director del hospital es un doctor llamado Francisco (Humberto Zurita), que perdió a su familia en el terremoto de 1985. 'Mariela' se enamora de él... pero Sam Ross y la mafia quieren eliminar a Tracy.

Telenovela en un hospital de Nuevo México

Una clínica de Nuevo México, donde la mayoría de los pacientes hablan español, va a producir una serie popular pero educativa. El problema es que por lo general los pacientes tienen que esperar una hora para ver al médico. El programa será televisado en el hospital para que lo vean los pacientes que esperan. Ella Sitkin, directora del departamento de informática del hospital, quiere captar el interés de los pacientes y concienciarles al mismo tiempo.

LEER 1

Lee por encima los dos artículos acerca de las telenovelas y busca:
Skim through the two articles about soap operas. Find the following:

- **a** Any words to do with hospitals: nurse, doctor, surgeon, hospital, clinic, patient.
- **b** Any words to do with television: actor, series, programme…
- **c** Any people or places that are mentioned.
- **d** Any numbers or times.

LEER 2

Indica a qué artículo se refiere cada una de estas frases.
Decide which article is being referred to. Write Los Ángeles (LA) or Nuevo México (NM).

- **a** A nurse has to escape to Mexico City.
- **b** Patients have to wait an hour to see a doctor.
- **c** A surgeon lost his family in an earthquake.
- **d** The nurse's boyfriend kills someone.
- **e** Most of the patients speak Spanish.
- **f** A hospital is going to make a soap opera.
- **g** A soap opera is set in a hospital.
- **h** A soap opera is going to teach people about their health.
- **i** A soap opera is going to be shown in a hospital.

¿Verdad (✔) o mentira (✘)?
True or false?

- **a** Tracy's boyfriend Sam works in a hospital.
- **b** Tracy kills a man.
- **c** Tracy and Mariela are the same person.
- **d** The doctor Francisco is married.
- **e** Tracy and Francisco fall in love.
- **f** It all ends happily ever after.

Ordena estas frases. Escucha y comprueba.
Put these sentences in the correct order. Listen and check.

- **a** que pacientes Los esperar para tienen al médico. ver
- **b** público. informar y concienciar Quiereal
- **c** para Es pacientes. los
- **d** directora Sitkin la es del Ella departamento informática. de
- **e** un a hospital una van hacer telenovela. En

Con tu compañero/a. Explica en inglés de qué trata uno de los dos artículos.
Choose one of the articles and tell your partner in English what you think it says.

T Técnica: Vocabulario

Memorizing the meaning of words

Here are some tricks to help you remember the meaning of words.

- Make up a funny sentence, linking the new word to something similar:

  abuelo: grandfather

  My uncle went for tea, oh, and my grandfather Ab (well overweight), so my nephew had to go away on a submarine.

  sobrino: nephew

  tío: uncle

- Draw pictures that link the word to something you remember:

uva: grape

harina: flour

pan: bread

Choose a new unit in this book. Look at its *Vocabulario* page and pick six words. Make up funny sentences or pictures to help you memorize these words. Get your partner to test you on the meaning of your words at the end of the lesson.

Pronouncing words  *131*

Watch out for the following sounds: *ll, ñ, z, ce, ci, j, ge, gi, rr, qu,* and the silent *h*.

For example: *Me llamo, España, diez, doce, cinco, Jorge, geografía, gimnasia, perro, que, quien, historia, hace.*

Remember to pronounce all the vowels separately:

For example: *doce, chocolate, garaje, hace, seis, siete, veinte, viento.*

Only the consonants in the word CaRoLiNe can be written as a double letter:

For example: *acción, perro, llamar, innecesario.*

Read the following words out loud to a partner, then check your pronunciation against the recording.

a 

castillo

b 

cereza

c 

cabeza

d 

cumpleaños

e 

conejo

f 

caballo

g 

ciudad

h 

hace sol

Spelling words

A good way to practise spelling words is to make a fan:

1 Carefully copy the list of Spanish words you want to learn down the left-hand side of a piece of paper.
2 Then write the English translations to the right of the Spanish words.
3 Fold back the Spanish words and try to write them out again in the third column, without looking at the first one. If you need to look to check, you can.
4 Unfold and check carefully for mistakes.
5 Fold the English words back. Look at the Spanish and try to write the English in the next column.
6 Carry on folding and testing yourself. Always remember to unfold and check each time.

Make a fan to practise spelling the words you chose in exercise 1.

Learning to use a word in a sentence ▶ *132*

As well as knowing the meaning and being able to say and spell a word, you also need to be able to use it in a sentence.

- When you learn nouns, you need to learn whether they are masculine or feminine.

  For example: *casa* (f): house. *Vivo en* ***una*** *casa*: I live in a house. *En* ***la*** *casa*: In the house.

- When you learn verbs, you need to learn the infinitive, but you also need to know how to change the ending.

  For example: *nadar*: to swim *nado*: I swim *nadamos*: we swim

- When you learn adjectives, you need to think about how the ending can change.

  For example: *divertido*: fun *Mi amigo es divertid**o**.* *Mi amiga es divertid**a**.*

Make up short sentences using each of these words. Use the glossary or verb table to check.

tengo **jardín** **coche** **hotel** **hay** **sofá** **radio** **limón** **me gusta** **quiero** **estudiar** **escuchar** **comprar**

Write short sentences using some of the words you chose in exercise 1.

Repaso

Con tu compañero/a. Uno piensa en qué le duele y el otro trata de adivinar qué es.

Ejemplo: A: ¿Te duele el pie?
B: No.
A: ¿Te duelen los ojos?
B: No…

Clasifica estas palabras en 'síntomas' y 'remedios'.

Síntomas	Remedios

el dolor

el jarabe

unas pastillas para la tos

una insolación

una picadura

una cucharada

la fiebre

la tos

unas tiritas

una venda

la gripe

un resfriado

enfermo

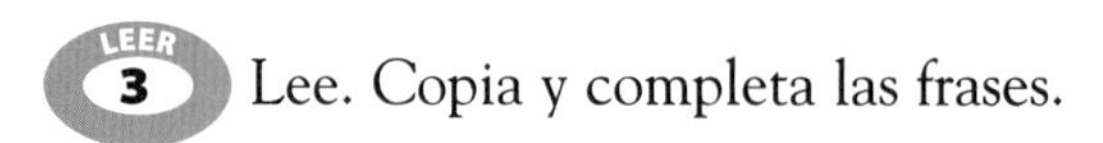

Lee. Copia y completa las frases.

a No puedo jugar al fútbol. Me duelen los * * *.
b Necesito una * * *. Me corté la mano.
c Tengo una picadura de insecto. Quiero unas * * *.
d Tengo una insolación. Me duele la * * *.
e Me duele la cabeza. Necesito unas * * *.
f Me caí de la bicicleta y me duele la * * *.
g Fui a la playa y tengo una * * *.
h Me desperté con tos. Necesito un * * *.

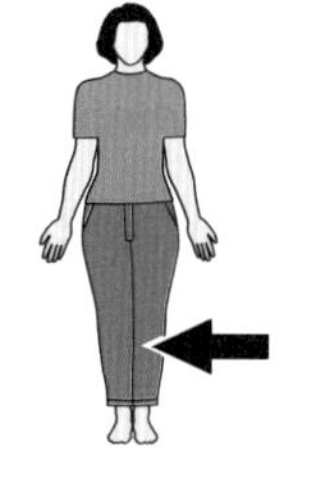

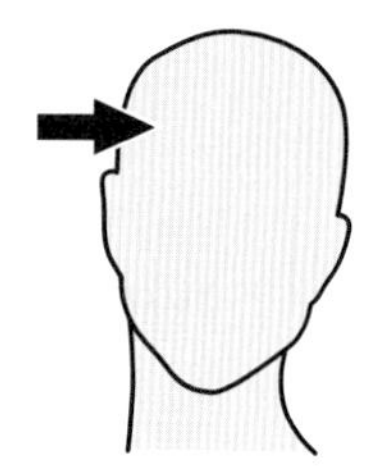

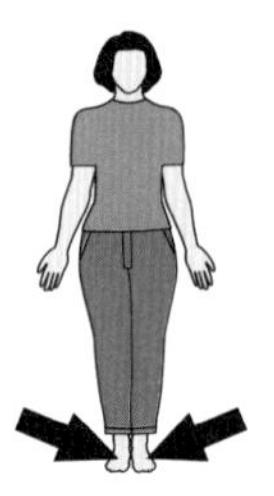

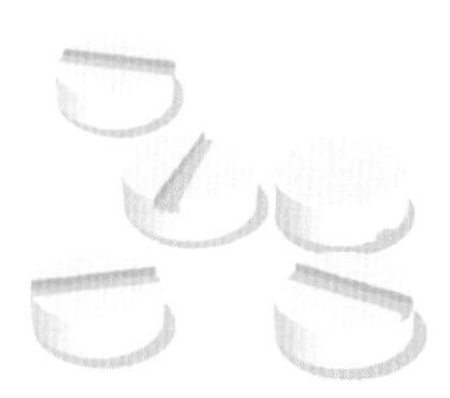

Escucha y comprueba tus respuestas.

Las partes del cuerpo	*Parts of the body*
la boca	mouth
los brazos	arms
la cabeza	head
el cuello	neck
los dedos	fingers
los dientes	teeth
la espalda	back
el estómago	stomach
la garganta	throat
las manos	hands
la nariz	nose
los ojos	eyes
las orejas	ears
el pelo	hair
las piernas	legs
los pies	feet
las rodillas	knees

Me encuentro mal	*I don't feel well*
Me duelen los oídos.	I've got earache.
Me duele la oreja.	My ear hurts. (outside of ear)
Me duele el pie.	My foot hurts.
Me duelen los pies.	My feet hurt.
¿Qué te duele?	What hurts?
Me duele aquí.	It hurts here.
Tengo el brazo roto.	I've got a broken arm.
Tengo un dolor aquí.	I've got a pain here.
Tengo fiebre.	I've got a temperature.
Tengo tos.	I've got a cough.
Tengo gripe.	I've got flu.
Tengo una insolación.	I've got sunstroke.
Tengo un resfriado.	I've got a cold.
Estoy constipado/a.	I've got a blocked up nose.
Estoy enfermo/a.	I'm ill.
Estoy mareado/a.	I feel dizzy/seasick/carsick.
¡Ay!	Ouch!
¡Pobre!	Poor thing!
¡Qué lástima!	What a shame.
No me digas.	You don't say.
No te preocupes.	Don't worry.
el médico	doctor

En la farmacia	*At the chemist*
¿Qué te pasa?	What's wrong?
Necesitas…	You need…
Toma…	Take…
Bebe…	Drink…
Toma dos cucharadas.	Take two spoonfuls.
cada dos horas	every two hours
el algodón	cotton wool
unas aspirinas	some aspirins
una crema (antihistamínica)	(insect-bite) cream
un antiséptico	antiseptic
el esparadrapo	strip of plaster
un jarabe	cough mixture
unas pastillas para la tos	cough sweets
unas pastillas para la acidez	antacid tablets
unas pinzas	tweezers
un termómetro	thermometer
unas tiritas	plasters
unas vendas	bandages
tienes que…	you have to/need to…
Ve a la cama.	Go to bed.
Llama una ambulancia.	Call an ambulance.
Bebe agua.	Drink water.
Toma una aspirina.	Have an aspirin.

Tengo…	*Expressions with tengo…*
Tengo hambre.	I'm hungry.
Tengo sed.	I'm thirsty.
Tengo calor.	I'm hot.
Tengo frío.	I'm cold.
Tengo miedo.	I'm scared.
Tengo prisa.	I'm in a hurry.
Tengo trece años.	I'm 13.

¿Qué pasó?	*What happened?*
Me corté.	I cut (myself).
Me desperté.	I woke up.
Me caí.	I fell.
Fui.	I went.

I know how to…

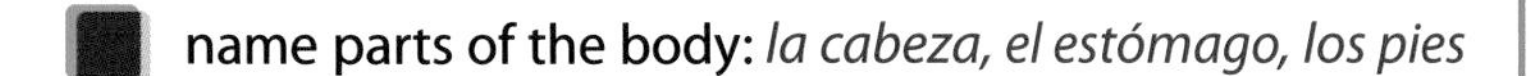

- name parts of the body: *la cabeza, el estómago, los pies*
- say what hurts, using *me duele/me duelen: Me duele la cabeza. Me duelen los pies.*
- use the definite article with parts of the body: *el pie, la espalda*
- interject and show sympathy: *¡Ay!, Pobre…*
- say what is wrong with me: *Estoy enfermo. Tengo tos.*
- ask others what is wrong: *¿Qué te pasa?*
- name items in a first-aid kit: *unas aspirinas, el jarabe, unas tiritas*
- use expressions with *tener: tengo fiebre, tengo el brazo roto.*
- make excuses and apologize: *No puedo ir… Lo siento…*
- say what is needed: *Necesitas… un termómetro*.
- read and understand instructions for medicines: *Tome tres cucharadas cada tres horas.*
- use expressions with *tener*: *tener hambre*; *tener frío*; *tener miedo*

Adelante

Invent an illness.

Create a poster showing all the symptoms of your illness.

Make an instruction leaflet showing what you have to do if you catch the illness.

Write a health warning leaflet explaining the consequences of catching your illness: symptoms, what you have to take, what you can and can't do.

De compras

3

- **Contexts:** shops, clothes, school uniform
- **Grammar:** *llevar;* demonstrative pronouns; 'it' and 'them'
- **Cultural focus:** Spanish shops and schools

LEER 1 Look at the photos of some shops in Spain. What do you think they sell?

a

una pescadería

b

una carnicería

c

una zapatería

d

una librería

e

una panadería

f

una farmacia

LEER 2 Where would Carlos buy these items?

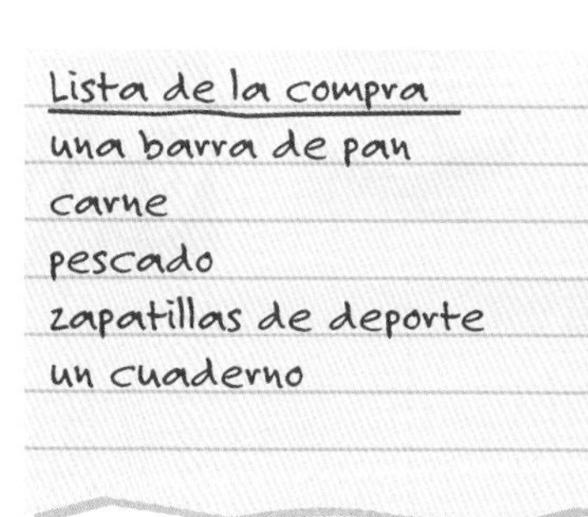

LEER 3 Look at the sign on the door. What do you think the words *abierto* and *cerrado* mean? What is the main difference between English and Spanish shops?

3.1 ¿Qué llevas?

- Name items of clothing
- Describe clothes
- Say what you and others are wearing

¡A sus marcas!

Mira estas palabras. ¿Qué significan en inglés? Pronuncia las palabras. Escucha y repite.

a un jersey **b** una blusa **c** un sombrero **d** un bikini
e un pijama **f** unas sandalias **g** unos shorts **h** unas botas

LEER 1 ¡A contrarreloj! Con tu compañero/a, empareja las descripciones con los dibujos.

Ejemplo: 1 d

1. una chaqueta roja
2. un jersey blanco
3. unas zapatillas de deporte blancas y negras
4. unos zapatos amarillos
5. una falda verde
6. unos vaqueros azules
7. una camisa violeta
8. unos pantalones cortos negros
9. un abrigo marrón
10. un gorro rosa
11. un chándal negro y blanco
12. una camiseta roja
13. unas botas naranja

ESCUCHAR 2 Escucha y comprueba tus respuestas.

¡RECUERDA!

Remember that adjectives follow the noun in Spanish and most of them agree with it in gender and number.

un gorro blanc**o** | una falda roj**a**
unos vaqueros negr**os** | unas sandalias blanc**as**

NB: some colours only change for number and not for gender:
*un traje azul, una falda azul, unos pantalones azul**es**, unas sandalias azul**es**.*

There are also a few that do not change at all: *violeta, naranja* and *rosa*. For example: *un gorro rosa.*

3 Lee y empareja las descripciones con los dibujos. ¡Cuidado! Hay un dibujo de más…

a Lleva un abrigo gris, botas negras y pantalones marrones. También lleva un paraguas.

b Llevan minifaldas rojas, camisetas blancas y zapatos rosa.

c Llevan camisetas azules, pantalones cortos negros y zapatillas de deporte verdes.

d Lleva unos pantalones cortos naranja, gafas negras y sandalias marrones.

Frases clave 57

¿Qué ropa llevas?
Llevo…
¿Qué ropa llevan?
Llevan…

1

2

3

4

5

4 Con tu compañero/a. ¿Qué ropa llevan las personas en el dibujo de más?

Ejemplo: Llevan…

Zoom *gramática*

140-

The verb llevar

Llevar means 'to wear'. It is a regular *-ar* verb. *¿Qué ropa llevas?* can be translated as 'What clothes do you wear?' or 'What clothes are you wearing?'

Llevo means 'I wear/I'm wearing…'

5 How would you translate the following sentences?

a She is wearing a blue jumper.
b We wear black hats.
c They wear yellow skirts.

Reto Dibuja y describe una pasarela de personajes famosos.
Draw and describe a fashion parade of famous people. Use exercise 3 to help you.

3.2 ¿Llevas uniforme?

- Describe your school uniform
- Describe clothing using more adjectives
- Give opinions on your uniform
- Say what you would like to wear

¡A sus marcas!

Mira las fotos. ¿Cuál es la diferencia principal entre el colegio de Adam en Inglaterra y el colegio español?

Escucha y lee. Luego, en grupos de cuatro practica la conversación.

Adam:	¿Qué hacéis?
Raquel:	Leemos este artículo sobre uniformes.
Carlos:	¿Qué llevan las personas de las fotos?
Fátima:	Los chicos llevan pantalones grises y una camisa blanca…
Raquel:	Y las chicas llevan una falda larga negra muy incómoda.
Carlos:	Sí, llevar uniforme es práctico, pero los uniformes siempre son feos…
Adam:	En Inglaterra, muchos alumnos llevan uniforme.
Raquel:	¿Cómo es el uniforme de tu colegio?
Adam:	Llevamos pantalones negros, una camisa blanca y un jersey azul.
Carlos:	¿Te gusta?
Adam:	¡No! No me gustan ni los pantalones ni el jersey.
Fátima:	¿Qué te gusta llevar?
Adam:	Me gusta llevar mi ropa, ¡es más cómoda!

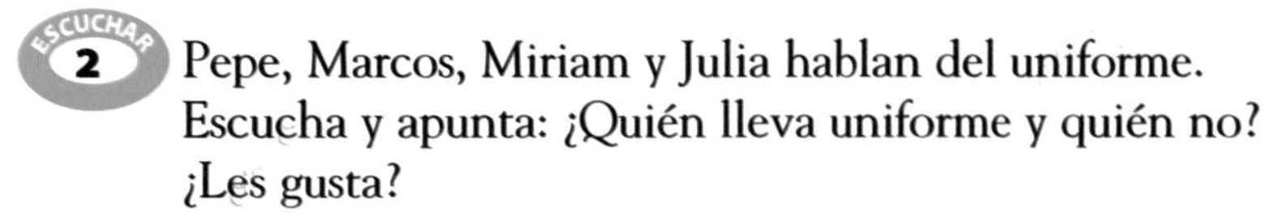

2 Pepe, Marcos, Miriam y Julia hablan del uniforme. Escucha y apunta: ¿Quién lleva uniforme y quién no? ¿Les gusta?

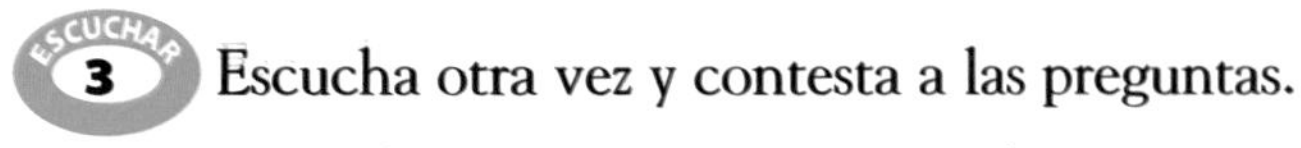

3 Escucha otra vez y contesta a las preguntas.

Ejemplo: a Una camisa y pantalones negros.

a ¿Qué lleva Pepe para ir al colegio?
b ¿Qué no le gusta a Marcos?
c ¿Por qué a Miriam le gusta su uniforme?
d ¿Qué tipo de ropa lleva Julia para ir al colegio?

Frases clave ▶ 57

¿Llevas uniforme?
Llevo…
¿Qué te gusta llevar?
Me gusta llevar…
No me gusta ni… ni…
Lo más…
¿Cómo es tu uniforme?
(demasiado) grande
largo/a
cómodo/a
feo/a

formal
ajustado/a
práctico/a
perfecto/a
pequeño/a
corto/a
incómodo/a
bonito/a
informal
holgado/a
elegante

¡El uniforme ideal! Carolina hace una encuesta. Escucha y lee.
Carolina is doing a street survey asking young people about their ideal school uniform. Listen and read.

Frases clave ▶ 57

¿Qué te gustaría llevar para ir al colegio?
Me gustaría llevar...

una corbata **tie**

Zoom gramática

▶ 144

How to say 'I would like'

To say what you would like, you use *me gustaría*. This form of *me gusta* is in the conditional tense.

me	gustaría	I would like
te		you (singular) would like
le		he/she/it would like, you *(usted)* would like
nos		we would like
os		you (plural) would like
les		they would like, you *(ustedes)* would like

Think of how to say 'I like', 'you like', etc. How different is the present tense from the conditional?

How would you say the following?

a I would like to wear a jumper.
b She would like to wear jeans.

Con tu compañero/a. Pregunta y contesta.

¿Qué te gustaría llevar para ir al colegio?

Me gustaría llevar...

Dibuja y describe un uniforme ideal.

¿Cuál prefieres?

- Say 'this/these', 'that/those' in Spanish
- Say what clothes you like
- Say what you prefer

¡A sus marcas!

Mira el escaparate durante un minuto. Cierra el libro.
¿Cuántas prendas de ropa recuerdas?
Look at the picture then close your book. How many can you remember?

Escucha y lee. ¿Quién no tiene dinero? Con tu compañero/a, practica el diálogo.

Adam: Tengo la paga del mes y quiero comprar ropa.
Carlos: Yo también tengo mi dinero…
Adam: ¡Mira! Me gustan estas camisetas de fútbol.
Carlos: ¿Cuánto cuestan?
Adam: Cuestan 30 euros. ¡Son bastante caras!
Carlos: ¿Cuál prefieres?
Adam: Prefiero la camiseta azul. Y a ti, ¿qué ropa te gusta?
Carlos: Me gustan aquellas botas marrones que cuestan 15 euros.
Adam: ¡Qué baratas!
Raquel: ¡Hola chicos! ¡Qué ropa más bonita!
Carlos: ¿Qué te gustaría comprar?
Raquel: Quiero ese bikini amarillo y me encantan esas sandalias. ¿Cuánto cuestan?
Carlos: 40 euros las dos cosas. ¿Las compras?
Raquel: No… ¡No tengo dinero!

Frases clave ▶ 57

¿Qué ropa te gusta?
Me gusta…
¿Cuánto cuesta?
Cuesta…
¿Qué te gustaría comprar?
Quiero comprar…
¿Cuál prefieres?
Prefiero…
barato
caro

la paga **pocket money**
bastante **quite**

Zoom *gramática*

▶ 134

Demonstrative pronouns

On this page you have met *este*, *ese* and *aquel* in different forms.

this (masc)	this (fem)	these (m)	these (f)	that (m)	that (f)	those (m)	those (f)
este	*esta*	*estos*	*estas*	*ese*	*esa*	*esos*	*esas*

that (over there) (m)	that (over there) (f)	those (over there) (m)	those (over there) (f)
aquel	*aquella*	*aquellos*	*aquellas*

LEER 2 Mira y escoge las palabras correctas. Utiliza *este/esta/estos/estas*, *ese/esa/esos/esas* o *aquel/aquella/aquellos/aquellas*.

a ✻✻✻ camiseta
b ✻✻✻ jersey
c ✻✻✻ gorro
d ✻✻✻ zapatos
e ✻✻✻ zapatillas de deporte
f ✻✻✻ sandalias

la capa **cape**

LEER 3 Lee y empareja las descripciones con las personas.

a Lleva una chaqueta negra, una camisa blanca y pantalones negros. ¡Ah! Y una capa muy elegante, larga y negra.

b Llevan minifaldas rosa y camisetas blancas muy cómodas.

c Lleva un abrigo marrón, un sombrero y pantalones largos marrones.

d Lleva una falda larga y azul y una camisa roja muy grande.

1

2

3

4

Reto II Con tu compañero/a, haz un anuncio de una de estas tiendas de ropa.
With your partner, create an advert for a clothes shop, using the shop names below to help you.

RAMÓN ROPA

3.4 ¿Me queda bien?

- Say the sizes of clothes and shoes
- Buy clothes in a shop
- Use direct object pronouns
- Give reasons for buying something or not

¡A sus marcas!

Mira los dibujos. ¿Qué diferencia hay entre las tallas en Gran Bretaña y España?

Look at the pictures. What differences are there between British and Spanish sizes?

España: 44
Gran Bretaña: 16

1 Escucha y lee. Practica el diálogo con tu compañero/a.

Dependiente:	Hola, ¿qué deseas?
Chico:	Quisiera comprar dos camisetas de fútbol. ¡Hoy hay partido en el estadio!
Dependiente:	Muy bien. ¿Qué talla tienes?
Chico:	Tengo la talla 40.
Dependiente:	Aquí tienes.
Chico:	No me gusta mucho. Prefiero la camiseta azul.
Dependiente:	Lo siento… tenemos la talla 40 en verde o en amarillo. ¿Cuál prefieres?
Chico:	Prefiero la verde. ¿Puedo probármela?
Dependiente:	Sí, claro…
Chico:	¿Me queda bien?
Chica:	¡Te queda fenomenal!
Chico:	La compro. ¿Cuánto cuesta?
Dependiente:	Cuesta 54 euros.
Chico:	Muy bien. Y… quiero otra camiseta verde de la talla pequeña.
Dependiente:	¿Es para tu hermano pequeño?
Chico:	No, ¡es para mi perro!

Frases clave ▶ 57

¿Qué deseas?
Quisiera…
¿Qué talla tienes?
Tengo la talla…
¿Qué número calzas/tienes?
Calzo/Tengo el número…
Lo siento.
¿Puedo probármelo/la?
¿Cuál prefieres?
Prefiero…
¿Me queda bien?
Te queda bien.
¿Cuánto cuesta(n)?
Cuesta(n)…
La(s) compro/Lo(s) compro.

Zoom *gramática*

▶ 138

'It' and 'them' in Spanish

You have already met *lo compro* ('I buy it'), although in this context you would translate it into English as 'I'll buy it'. There are different ways to say 'it' and 'them', depending on the gender and number of the noun that it refers to:

it (masculine)	**it** (feminine)	**them** (masculine)	**them** (feminine)
lo	*la*	*los*	*las*

2 Now choose the correct option in these sentences.

a Compro una camisa. Lo/La compro.
b Compro unos pantalones. Los/Las compro.
c Compro un jersey. Lo/La compro.
d Compro unas sandalias. Los/Las compro.

Empareja los dibujos con las descripciones. Utiliza el pronombre adecuado.

a ¡Es un poco larga!
No ✻✻✻ compro.
b ¡Son demasiado pequeños!
No ✻✻✻ compro.
c ¡Son muy incómodas!
No ✻✻✻ compro.
d ¡Es demasiado corta!
No ✻✻✻ compro.
e ¡Es muy grande!
No ✻✻✻ compro.

Escucha. Copia y rellena el cuadro.

	Ropa	Color	Talla/número	Precio
Gerardo	camiseta	azul	42	50€
Amaya				
Jennifer		negros		
Ágata	abrigo			

Frases clave 57

demasiado
un poco
muy

Pon esta conversación en el orden correcto.

a Un momento… Aquí tienes.
b Quisiera comprar una camisa.
c Sí.
d ¿Te gusta?
e Buenos días. ¿Qué deseas?
f Muy bien. ¿Qué talla tienes?
g No, no me gusta. No me queda bien. Es demasiado pequeña. No la compro.
h Tengo la talla 40.
i ¿Puedo probármela?

Reto II Escoge un personaje y el artículo que quiere comprar y escribe una converción.

David Beckham
unas zapatillas deportiras

la reina Isabel
un sombrero

Mick Jagger
una camiseta

3.5 Entre amigos

¿Quieres unas vacaciones diferentes?

1 ESCUCHAR / LEER Escucha y lee los textos.
Read and listen to the texts.

El Camino de Santiago

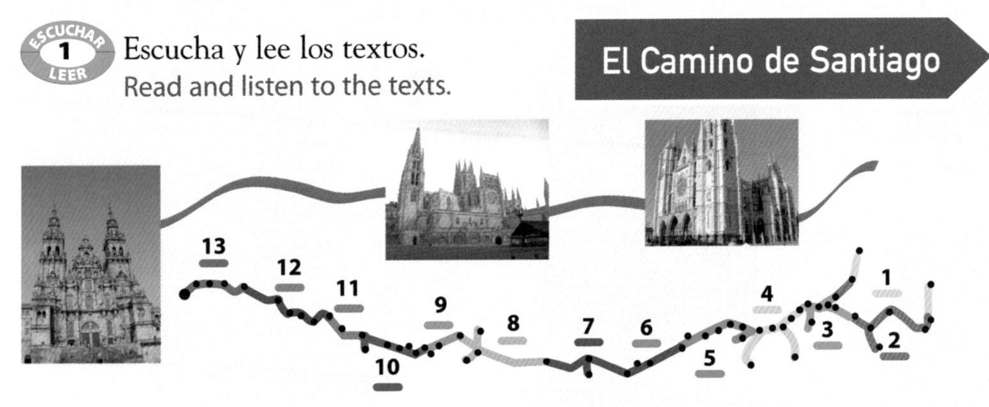

Somport - Jaca - Roncesvalles - Viscarret - Pamplona - Monreal - Estelia - Nájera - Burgos
Frómista - Sahagún - Léon - Rabanal del Camino - Villafranca - Triacastela - Palas de Rey - Santiago

Qué es – una peregrinación a una catedral famosa para visitar la tumba de Santiago, un santo muy conocido.

Adónde – a Santiago de Compostela, una ciudad al noroeste de España.

Cuándo – todo el año, aunque el día más importante es el 25 de julio, día de Santiago.

Cómo puedes ir – a caballo, en bicicleta (pero es difícil de noviembre a mayo porque hace mal tiempo)… Un 77% de personas hacen el camino a pie.

En qué consiste – en caminar hasta Santiago y visitar al santo. Hay muchas rutas diferentes: desde Francia, Portugal…

Ropa esencial – lo más importante es llevar ropa práctica y ligera. La mochila perfecta del peregrino contiene camisetas, pantalones, ropa interior, muchos calcetines, un jersey (porque a veces hace frío), un bañador y un paraguas (es una zona muy lluviosa). Las botas tienen que ser cómodas y estar usadas para poder caminar bien. También puedes llevar zapatillas de deporte, pero ¡en verano es mejor llevar sandalias!

una peregrinación **pilgrimage**

La Ruta Quetzal

Qué es – un viaje organizado para jóvenes de 16 y 17 años. Después de una selección dura, los chicos viajan por toda Latinoamérica. El viaje termina en Madrid.

Dónde – en Guatemala, México… Es una experiencia maravillosa: van a la selva, a las playas, a las ruinas históricas…

Cuándo – en verano, durante dos meses.

Cómo puedes ir – en avión hasta Guatemala y después… ¡a pie! Los chicos hacen camping por la noche.

En qué consiste – en caminar siguiendo diferentes rutas para descubrir Latinoamérica con chicos de distintos países. Los jóvenes de la 'Ruta Quetzal' viajan durante dos meses en los que visitan países y culturas diferentes.

Ropa esencial – lo más importante es tener una mochila ligera porque hay que ir a pie todo el tiempo. Durante el día hace mucho calor pero por la noche puede hacer frío: se necesita ropa práctica; dos jerseys, camisetas… Es muy importante llevar buenos calcetines y botas, también un buen sombrero. No es buena idea llevar sandalias, parte de la ruta atraviesa la selva y puede ser peligroso.
¡Ah! Otra cosa esencial: ¡mucho repelente para mosquitos!

peligroso **dangerous**

¿De qué vacaciones se trata?
Which holiday (one or both) is it?

- **a** You need to pack the essentials to travel light.
- **b** Most people go on foot to this pilgrimage place.
- **c** You need warm clothes but also summer clothes.
- **d** You have the chance to meet people of your own age from different countries.
- **e** You never stay in hotels.
- **f** The weather can be unreliable.
- **g** You shouldn't wear sandals.
- **h** You can do this pilgrimage from different countries.

Contesta a las preguntas en inglés.
Answer these questions in English.

- **a** What do you think you need to do to be selected to do *La Ruta Quetzal*?
- **b** Why is it so important to wear good footwear on these trips?
- **c** What clothes do you need to do *El Camino de Santiago*?
- **d** In your opinion, which is the most important item for *La Ruta Quetzal*?
- **e** Do you think two months is enough time to visit Latin America?
- **f** Which countries in Latin America would you like to visit and why?

¿La Ruta Quetzal o El Camino de Santiago? Lee los correos electrónicos de estos chicos y decide.
Read and decide whether it is *La Ruta Quetzal* or *El Camino de Santiago*.

a ¡Hola Lito! ¡Éstas son las mejores vacaciones de mi vida! Estoy en Guatemala – caminamos mucho todos los días y estoy cansada, ¡pero las ruinas son increíbles!

b Mamá, estoy agotado… no puedo más… dos días más de viaje… mi bicicleta es incómoda… ¡Quiero volver a casa!

c Hola, Gerardo, ¿qué tal? Aquí se está perfecto. Hace calor durante el día pero por la noche hace mucho, mucho frío (estamos en Perú).

d ¡Es fabuloso! Es un viaje duro pero genial… Sí, hace calor, pero estoy muy cómodo con mi sombrero, mis pantalones cortos y mis sandalias.

¿A cuál de las vacaciones preferirías ir y por qué? Contesta en inglés.
Using information from the texts, write in English which holiday you would like to go on and why.

3 Repaso

Mira los personajes. ¿Quién es?

El Zorro | *Indiana Jones* | *Sherlock Holmes* | *Los hombres de negro* | *Cleopatra*

a Lleva una falda violeta.
b Lleva un sombrero negro, botas negras de cuero y una camisa también negra.
c Llevan trajes negros y corbatas negras.
d No lleva zapatos.
e Lleva un sombrero marrón, botas de montaña y una camisa verde.
f Lleva un abrigo marrón y una pipa.
g Llevan gafas negras.

el cuero leather
un traje a suit

Mira el dibujo y escribe frases.

Ejemplo: Esta camiseta roja cuesta treinta euros.

Escucha (1–4) y apunta: ¿Qué ropa quieren? ¿La compran?

Lee y copia estas conversaciones. Rellena los espacios con *lo/la* o *los/las*.

a

- Hola, buenos días. ¿Qué deseas?
- Quiero comprar esas zapatillas de deporte. ¿Cuánto cuestan?
- Cuestan 65 euros.
- ¡*** compro!

b

- Buenas tardes. ¿Qué quieres comprar?
- Quiero comprar este chándal negro y blanco. ¿Cuánto cuesta?
- Cuesta 43 euros.
- Es muy caro, no *** compro.

c

- Hola. ¿Qué deseas?
- Quiero comprar esos pantalones cortos. ¿Cuánto cuestan?
- Cuestan 32 euros.
- Muy bien. Me gusta mucho el color. *** compro.

Dibuja un cómic. Una persona quiere comprar ropa. Utiliza el ejercicio 4 para ayudarte.

Las tiendas	***Shops***
la carnicería	*butcher's*
la farmacia	*chemist's*
la librería	*bookshop*
la panadería	*baker's*
la pescadería	*fishmonger's*
la zapatería	*shoe shop*

La ropa	***Items of clothing***
un abrigo	*a coat*
un bikini	*a bikini*
una blusa	*a blouse*
unas botas	*boots*
una camisa	*a shirt*
una camiseta	*a T-shirt*
un chándal	*a tracksuit*
una chaqueta	*a jacket*
una falda	*a skirt*
un gorro (de lana)	*a (woolly) hat*
un jersey	*a jumper*
unos pantalones (cortos)	*trousers (shorts)*
un pijama	*pyjamas*
unas sandalias	*sandals*
unos shorts	*shorts*
un sombrero	*a hat*
unos vaqueros	*jeans*
unas zapatillas de deporte	*trainers*
unos zapatos	*shoes*
¿Qué ropa llevas?	*What clothes are you wearing?*
Llevo…	*I'm wearing…*
¿Qué ropa llevan?	*What clothes are they wearing?*
Llevan…	*They are wearing…*

El uniforme	***School uniform***
¿Qué te gusta llevar?	*What do you like to wear?*
Me gusta llevar…	*I like to wear…*
¿Llevas uniforme?	*Do you wear a school uniform?*
¿Cómo es el uniforme?	*What is your school uniform like?*
¿Qué te gustaría llevar para ir al colegio?	*What would you like to wear to school?*
Me gustaría llevar…	*I would like to wear…*
la corbata	*tie*
ajustado/a	*tight*
bonito/a	*pretty*
cómodo/a	*comfortable*
corto/a	*short*
elegante	*elegant*
feo/a	*ugly*
formal	*formal*
grande	*big*
holgado/a	*baggy*
incómodo/a	*uncomfortable*
informal	*informal*
largo/a	*long*
pequeño/a	*small*
perfecto/a	*perfect*
poco práctico/a	*impractical*
práctico/a	*practical*

¿Qué ropa te gusta?	***What clothes do you like?***
Me gusta…	*I like…*
¿Cuál prefieres?	*Which one do you prefer?*
¿Cuáles prefieres?	*Which ones do you prefer?*
Prefiero…	*I prefer…*
este/esta	*this*
estos/estas	*these*
ese/esa	*that*
esos/esas	*those*
aquel/aquella	*that one over there*
aquellos/aquellas	*those ones over there*

De compras	***Shopping***
¿Qué deseas?	*What would you like?*
¿Qué quieres comprar?	*What do you want to buy?*
Quisiera…	*I would like…*
Quiero comprar…	*I want to buy…*
¿Qué talla tienes?	*What size are you (clothes)?*
¿Qué número tienes/calzas?	*What size are you (shoes)?*
Calzo el número…	*My shoe size is…*
Tengo la talla…	*I am size…*
la talla pequeña	*small size*
la talla grande	*large size*
Lo siento	*I'm sorry*
¿Puedo probármelo/la?	*Can I try it on?*
¿Me queda bien?	*Does it suit me?*
Te queda bien.	*It suits you.*
¿Cuánto cuesta(n)?	*How much is it/are they?*
cuesta(n)…	*it costs/they cost…*
La(s) compro/ Lo(s) compro.	*I'll buy it/them.*
Me queda(n) bien.	*It suits/They suit me.*
No me queda(n) bien.	*It doesn't/They don't suit me.*
Es demasiado grande.	*It's too big.*
Es un poco ajustado.	*It's a bit tight.*

I know how to...

- name items of clothing: *una camisa, un jersey*
- say what colour items of clothing are: *unas botas blancas, un jersey rojo*
- say what I and others are wearing: *Llevo pantalones y una camiseta. Llevan minifaldas.*
- talk about my school uniform and give opinions about it: *Me gusta el uniforme porque es cómodo. No me gusta el uniforme porque es poco práctico.*
- say what I would like to wear to school: *Me gustaría llevar mi propia ropa para ir al colegio. Me gustaría llevar vaqueros.*
- say what I prefer: *Prefiero la camiseta azul. Prefiero el jersey rosa.*
- say 'this'/'these'/'that'/'those' in Spanish: *Este jersey, esta camisa, esos pantalones.*
- use Spanish sizes: *Tengo la talla mediana, la talla 40. Calzo el número 38 de zapatos.*
- ask for clothes in a shop and say if I want to buy them or not and why: *No compro esta camiseta porque es demasiado pequeña.*
- use direct object pronouns: *Me gusta esta camisa. La compro. Me gustan estos pantalones. Los compro.*
- say if an item of clothing suits me or someone else or not and why: *Esta falda no me queda bien porque es demasiado corta.*

Abierto:
de 9.00 a 14.00
y de 17.00 a 20.00
de lunes a sábado
Cerrado los domingos

Adelante

Write a list of your favourite items of clothing to take on holiday.

Write six sentences using *este/ese/aquel* as appropriate, checking the gender of the word that follows.

Write a conversation in a shop between two people: the shop assistant and a customer.

¡A divertirse!

4

- **Contexts:** films, television, buying tickets
- **Grammar:** *me gusta/me gustan*; *era*; the preterite; *antes/después de* + infinitive
- **Cultural focus:** Spanish television programmes; Barcelona

LEER 1 Lee las frases. ¿Quién dice qué? Con tu compañero/a, piensa en otras frases famosas.

Read these sentences from well-known film characters. Who says what? In pairs, think of some more well-known lines taken from films.

a *¡Mi Tesoro!*

b *Mi casa… teléfono…*

c *Me llamo Bond… James Bond.*

d *Este coche es automático… ¡Es un relámpago!*

e *Yo Tarzán, tú Jane.*

f *Que la fuerza te acompañe.*

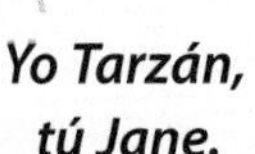

TARZÁN

ET

El Señor de los Anillos

La Guerra de las galaxias

El Mañana nunca muere

1 

4 

2 

5 

3 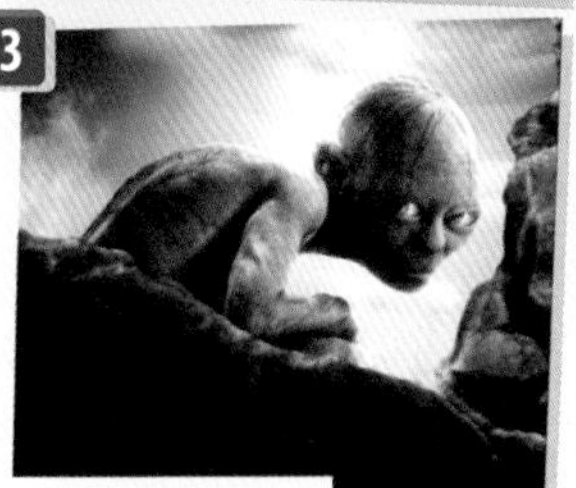

6 

el relámpago **lightning**

4.1 ¿Qué películas te gustan?

- Say which films you like and why
- Ask somebody else about their film preferences

¡A sus marcas!

Lee. ¿Cuántos nombres puedes entender gracias al inglés?
Look at the types of film. How many can you understand from English?

a 
una película romántica

b 
una película policíaca

c 
una película cómica

d 
una película de acción

e 
una película de ciencia-ficción

f 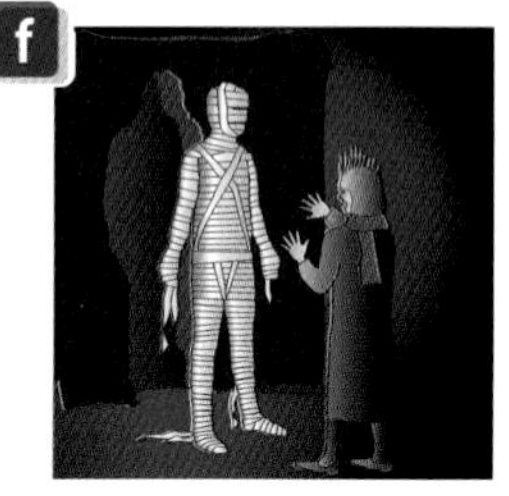
una película de terror

g 
una película de dibujos animados

h 
una película de guerra

i 
una película del oeste

Escucha (1–5) y escoge. Escucha y comprueba.

Ejemplo: 1 c (una película cómica)

¿Cuántas frases puedes escribir en dos minutos? Juega con tu compañero/a.

<table>
<tr><td colspan="2">¿Qué películas te gustan?
¿Qué películas prefieres?</td><td></td></tr>
<tr><td>Me
Te
Le</td><td>gustan las películas</td><td rowspan="2">cómicas
policíacas
románticas
de acción
de ciencia-ficción
de dibujos animados
de guerra
de terror
del oeste</td></tr>
<tr><td>(No) me gustan

Prefiero
Prefieres
Prefiere
Odio
Me encantan</td><td>las películas</td></tr>
<tr><td colspan="2">… porque (no) son…</td><td>aburridas
animadas
divertidas
graciosas
tontas
emocionantes
inteligentes
interesantes</td></tr>
</table>

Zoom gramática

▶ 144

Me gusta/me gustan

Remember that *me gusta* means 'I like', and you use it with singular nouns and with verbs in the infinitive:

Me gusta la pasta. Me gusta ver la televisión.

Use *me gusta**n*** when you like more than one thing:

Me gustan las películas de ciencia-ficción.

me gusta(n)	I like
te gusta(n)	you like (singular)
le gusta(n)	he/she/it likes, you (*usted*) like
nos gusta(n)	we like
os gusta(n)	you like (plural)
les gusta(n)	they like, you (*ustedes*) like

How would you say the following:
a He likes school.
b We like to read.

How would you answer this question: ¿Qué películas te gustan?

Lee la postal. ¿Verdad (✔) o mentira (✘)?

¡Hola, amigo Shrek!
Estoy de vacaciones, ¡es genial! Me gusta ir a la playa durante el día pero prefiero ir al cine. Me encantan las comedias porque son divertidas pero no me gustan las películas de guerra, ¡odio la violencia! Vi Platoon y no me gustó, era muy aburrida. A veces veo películas de acción pero mis películas preferidas son las de dibujos animados porque son interesantes. Por ejemplo, vi una película de Disney, Buscando a Nemo, ¡era fantástica!
Shrek, ¿qué películas te gustan a ti?
Un abrazo de
Asno

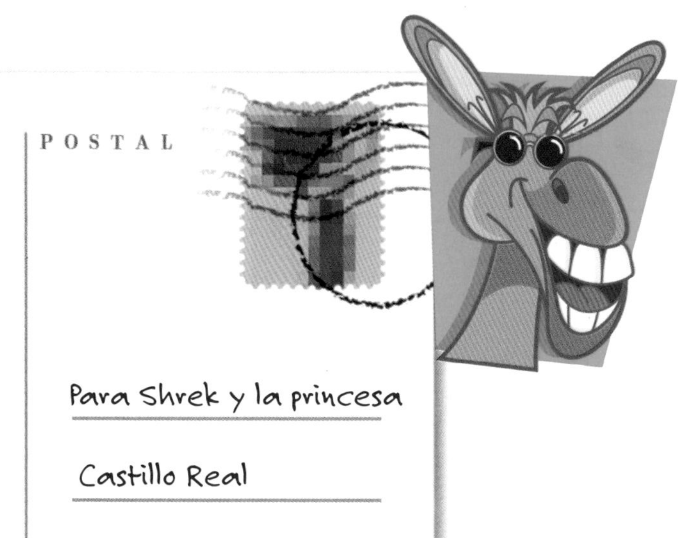

vi **I saw**
era **it was**
asno **donkey**

- **a** A Asno le gusta más el cine que la playa.
- **b** Le gustan las películas de guerra porque son animadas.
- **c** Sus películas preferidas son las películas de dibujos animados.
- **d** Piensa que las comedias son aburridas.

LEER 6 Busca en la postal de Asno esta información:

- tipos de película.
- las palabras de opinión.
- los adjetivos.

Escucha el sondeo. ¿Qué películas les gustan y por qué?

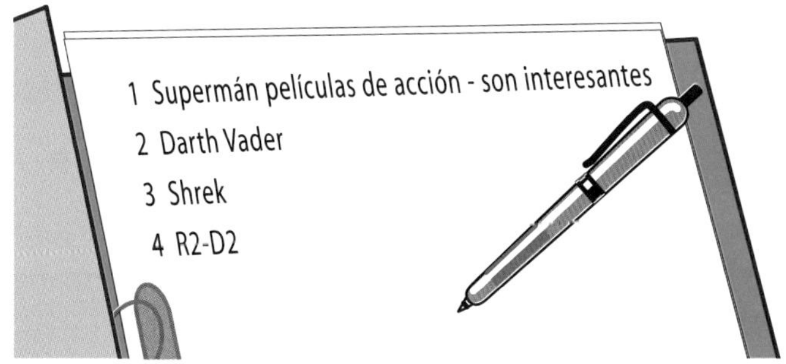

Busca en la clase a…

- una persona a que le gustan las películas de terror.
- dos personas que prefieren las películas románticas.
- tres personas que odian las películas de ciencia-ficción.
- una persona a que no le gustan las películas de guerra.

Escribe una postal a un(a) amigo/a. Utiliza el ejercicio 5 para ayudarte. Cambia las palabras subrayadas.

4.2 El cine y la televisión

- Invite somebody out to the cinema
- Buy cinema tickets
- Types of TV programmes

¿Cuántas opiniones puedes dar sobre películas en un minuto?

Escucha y lee. ¿A qué hora quedan los dos chicos?

Iñaki: ¡Hola, Sara! ¿Quieres salir conmigo esta tarde?
Sara: Buena idea. ¿Adónde vamos?
Iñaki: ¿Quieres ir al cine? Hay una película policíaca muy interesante.
Sara: No me gustan mucho esas películas... Vi *Hombres de negro* y era muy aburrida. Prefiero las películas de ciencia-ficción.
Iñaki: Yo quiero ver *Alien, el regreso*, ¿te gustaría a ti también?
Sara: Vale, ¿dónde quedamos y a qué hora?
Iñaki: En la entrada del cine a las ocho.
Sara: Vale.

Iñaki: Dos entradas para *Alien, el regreso*, por favor.
Mujer: ¿Para qué sesión?
Iñaki: Para la sesión de las ocho y media. ¿Cuánto es?
Mujer: 12 euros.
Iñaki: Gracias. ¿En qué sala es?
Mujer: En la sala cinco.

Con tu compañero/a, haz un diálogo.

Escucha. Copia y rellena estas entradas de cine.

Multicines Bardem
Toy Story
Sesión: ***
Sala *** *** euros

Multicines Goya
Batman
Sesión: ***
Sala *** *** euros

Zoom gramática

Era

▶ 147

To say 'it was', you use *era*. *Era* is the past tense of *ser* and is used to describe a permanent state in the past.

La película era aburrida.
El programa era largo.

How would you say 'it was an interesting film'?

Escucha y lee. (1–8) ¿Qué tipo de programas son? Escribe la letra correcta.

Ejemplo: 1 h

En la tele hay…

a

los documentales

b

las series

c

los concursos

d

las noticias

e

las telenovelas

f

los programas musicales

g

los programas de deportes

h

los anuncios

Mira la programación de televisión. ¿Qué programa es apropiado para cada persona?

TVE 1

9.00	noticias
9.30	National Geographic España "los elefantes africanos"
10.30	"Loca historia de amor"
11.30	"el príncipe de Bel Air"
13.00	deportes
13.40	concurso "la rueda de la fortuna"
15.00	noticias

TVE 2

9.00	documental sobre Madrid
10.00	programa para niños
11.30	super pop
12.30	"fútbol desde el Camp Nou"
13.30	noticias de la 2
14.00	"el amor perfecto"
15.30	Especial Asia-India

ANTENA3

8.30	Desayuno con noticias
10.00	geografía de España – hoy hablamos de Sevilla
11.30	baloncesto
13.00	noticias
14.00	toros
15.00	"vacaciones románticas"
16.00	tardes con Teresa

a ***Me gusta TVE1 y soy muy romántica.***

b ***Veo TVE2 y los deportes son mi pasión.***

c ***Me encanta Antena3 y me gustan muchísimo los documentales.***

d ***Si tengo tiempo, veo TVE1. Me gusta la política del mundo.***

e ***Soy un fanático de la música.***

Reto II Con tu compañero/a. ¿Qué programas viste ayer en la televisión? ¿A qué hora? ¿Por qué?

4.3 El fin de semana pasado

- Talk about what you did last weekend
- Say where you went
- Say what you saw and what you did

¡A sus marcas!

Ordena las letras para escribir los nombres de los lugares de la ciudad.

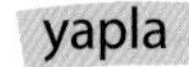

yapla ceni dioesta devopolitipor quepar ríafeteca

1 Escucha y lee. ¿Quién fue al parque?

Raquel: ¡Hola, Adam! ¿Qué tal? ¿Qué hiciste el fin de semana pasado?
Adam: ¡Hice muchas cosas! Fui a la playa, fui a un restaurante con mi familia y fui al cine nuevo con una amiga, Sonia.
Raquel: ¡Al cine Goya! ¿Cómo era?
Adam: Era grande… moderno… ¡con muchas salas y muchas películas!
Raquel: ¿Qué película viste en el cine?
Adam: Vi *Alien, el regreso*. ¿Y tú? ¿Qué hiciste? ¿Adónde fuiste?
Raquel: Fui al estadio con Carlos para ver un partido de fútbol. Después fuimos al parque donde vimos a dos amigos. ¿Y tú y Sonia? ¿Adónde fuisteis después?
Adam: Fuimos a tomar un helado a una cafetería. ¡El helado de fresa de la cafetería Exprés es el mejor!

Zoom *gramática*

▶ 146

The preterite

You use the preterite tense to say what you did in the past. The verbs *ir* (to go), *hacer* (to do) and *ver* (to see) are all irregular.

ir		***hacer***		***ver***	
fui	I went	*hice*	I did	*vi*	I saw
fuiste	you went (singular)	*hiciste*	you did (singular)	*viste*	you saw (singular)
fue	he/she/it went, you (*usted*) went	*hizo*	he/she/it did, you (*usted*) did	*vio*	he/she/it saw, you (*usted*) saw
fuimos	we went	*hicimos*	we did	*vimos*	we saw
fuisteis	you went (plural)	*hicisteis*	you did (plural)	*visteis*	you saw (plural)
fueron	they went, you (*ustedes*) went	*hicieron*	they did, you (*ustedes*) did	*vieron*	they saw, you (*ustedes*) saw

2 Answer the following questions.

a How would you say 'she went to the park'?
b Choose the right verb to say 'we went to the cinema': Fui/Fuiste/Fue/Fuimos al cine.
c Fill in the appropriate verb to say 'they did many things': ✻✻✻ muchas cosas.

3 Con tu compañero/a. Copia el diálogo y rellena los espacios.

– ¡Hola, Manuel! ¿Adónde *** ?
– *** a la discoteca.
– ¿Con quién *** ?
– *** con mi hermano Pedro.
– ¿Cómo era la discoteca?
– Era muy grande y muy moderna.
– ¿Qué *** ?
– ¡Bailé toda la noche!

4 Lee y contesta a las preguntas en inglés.
Read Inspector Lupa's report and answer the questions in English.

Señor director:
Fui a cumplir mi misión en coche y vi al espía. Voy a explicar lo que hizo durante el día. Por la mañana fue a desayunar a un bar. A las diez fue a la oficina a trabajar y a las doce fue a tomar café a una cafetería. Vi a sus amigos: dos chicos y dos chicas. La cafetería era grande y espaciosa.
Por la tarde, fue a comer a un restaurante con una chica (creo que es su secretaria) y después los dos fueron al parque para hablar y pasear.
Más tarde, el espía fue a su casa en coche y yo fui detrás en mi moto. Su casa, una mansión en las afueras de la ciudad, era fantástica y con muchas habitaciones.
El espía fue a la cocina a preparar un bocadillo y después fue al salón para ver la tele. De repente, vi una cosa sospechosa…
Hice fotos, así que tengo pruebas.

a How did Inspector Lupa get to his mission?
b What did the spy do in the bar?
c How many friends did he have?
d What did he do in the afternoon?
e What did he do in his living room?
f What proof does the inspector have that something suspicious is going on?

el espía	**spy**
de repente	**suddenly**
una cosa sospechosa	**something suspicious**
pruebas	**proof, evidence**

Reto Con tu compañero/a. ¿Qué hiciste ayer? ¿Adónde fuiste?

4.4 ¿Qué hiciste el fin de semana pasado?

- Expressions of time in the past
- Revising what you did last weekend

¡A sus marcas!

Look at the story below. How many forms of the preterite can you find?

1 Escucha y lee. ¿Cuándo fue Fátima a la playa?

Zoom gramática ▶ 150

Antes/después de + infinitive

To say 'before ...ing' in Spanish you use *antes de* + infinitive.
antes de comer before eating

Después de + infinitive is the Spanish equivalent of 'after ...ing':
después de salir after going out

Escribir 2 How would you say 'I went to the park after playing football'?
Can you think of two more examples using *antes de* and *después de*?

Leer 3 Lee la historia otra vez. Contesta a las preguntas.

- a ¿Adónde fue Fátima el fin de semana pasado?
- b ¿Con quién fue?
- c ¿Cuándo fue al parque Güell?
- d ¿Qué vio el domingo por la mañana?
- e ¿Qué hizo el lunes por la mañana?

Escribir 4 ¿Qué hiciste el fin de semana pasado? Escribe frases.
What did you do last weekend? Use these notes to write sentences.

Ejemplo: El sábado por la mañana fui al polideportivo.

Reto Escribe una carta sobre el fin de semana pasado. Utiliza el ejercicio 1 para ayudarte.

4.5 Entre amigos

¿Loco por la tele?

LEER 1 Contesta a las preguntas de este test y descúbrelo…
Answer these quiz questions, and find out if you are mad about TV.

1 ¿Cuántas horas de televisión ves al día?

- A Media hora aproximadamente.
- B Dos horas.
- C Cuatro horas ¡o más!

2 ¿Cuántos programas viste ayer?

- A No vi la tele.
- B Dos o más.
- C Cuatro o más.

3 Un amigo da una fiesta a la hora de tu programa favorito y el vídeo no funciona. ¿Qué haces?

- A Voy a la fiesta. El programa no es tan importante.
- B Voy a la fiesta aunque quiero ver el programa. Quizás puedo convencer a mis amigos para ver la tele en la fiesta…
- C Me quedo en casa. Mi programa favorito es lo más importante para mí.

4 Estás en tu sofá, preparado para ver tu programa favorito pero… ¡Ay no! ¡La televisión no funciona! ¿Qué haces?

- A Bueno… es una oportunidad perfecta para leer un libro.
- B Vas a casa de un amigo para charlar y, si es posible, ver tu programa.
- C ¡Te entra el pánico! ¿Qué vas a hacer ahora?

5 Quieres comprar champú en una tienda. Hay dos, uno de marca desconocida y otro que anuncian en la televisión. ¿Cuál compras?

- A El de marca desconocida si es más barato.
- B Compras los dos para comparar.
- C Compras el que sale en la televisión. Seguramente es mejor.

6 Te regalan una entrada para participar en un concurso de la tele. ¿Cómo reaccionas?

- A No voy. No me interesa ir a la televisión, es ridículo.
- B Acepto la invitación porque tengo curiosidad.
- C ¡Genial! Mis amigos pueden verme y puedo conocer a famosos…

7 ¿Puedes pensar en anuncios que te gustan?

- A No, odio la publicidad.
- B Puedo pensar en dos anuncios máximo. No me gustan.
- C Sí, me encantan los anuncios.

8 ¿Puedes vivir sin televisión?

- A Sí, perfectamente.
- B A veces sí, a veces no.
- C No, claro que no.

Resultado:

Mayoría de respuestas ***a****: ¡Enhorabuena! No eres adicto a la tele. Pero también hay programas interesantes…*

Mayoría de respuestas ***b****: Sabes pasarlo bien con y sin televisión. La televisión no te influencia.*

Mayoría de respuestas ***c****: ¡Eres un adicto! ¿No tienes los ojos cuadrados? Vives para ver la televisión y eso no es bueno. Tienes que salir más y pasar menos tiempo delante del televisor.*

¿Sabes mucho sobre la televisión en España? ¿Verdad (✔) o mentira (✘)?
How much do you know about Spanish television? True or false?

a En España tienes que pagar una licencia si quieres ver la tele.
b En España hay muchos anuncios en la televisión.
c Los canales principales se llaman TVE1 y TVE2.
d Los programas son diferentes dependiendo de la zona donde vives.
e En España hay pocas películas en versión original en el cine o en la televisión.
f 'Hacer zapping' o 'zapear' quiere decir cambiar de canal.
g En España dan toros por la televisión como si fuera un programa más.

Escucha y comprueba tus respuestas.
Listen and check your answers.

Con tu compañero/a. Compara la televisión española con la de tu país. ¿Cuáles son las diferencias principales?
Compare Spanish television with television in your own country.
What are the main differences? Discuss in English with your partner.

Palabras relacionadas con la tele. Empareja cada palabra española con su equivalente inglés.
Words connected with television. Match the Spanish words with their English equivalents.

a el mando a distancia
b la pantalla
c el canal
d un programa en directo
e un programa del corazón
f un 'culebrón' (quiere decir 'serpiente larga')

1 the screen
2 the channel
3 a chat show
4 a soap opera
5 a live programme
6 the remote control

Técnica: Hablar

Bringing role-play to life

You will learn methods for practising Spanish that will be useful for everyday situations. At first you will want to plan these role-plays with a partner, so you know exactly what to say. This means you can concentrate on memorizing and pronouncing your Spanish. If you are going to present the role-play to the class, you need to find ways of making it interesting. You can do the same role-play in different ways, using mood, character, imagination, or a backing soundtrack.

Practise this role-play with a partner, until you remember your words and are happy with your pronunciation.

– Hola
– Hola. ¿Qué deseas?
– Quiero comprar unos pantalones cortos.
– ¿Qué color te gusta?
– ¿Los tienes amarillos?
– Tengo estos amarillos.
– Me gustan mucho. ¿Cuánto cuestan?
– 15 euros. ¿Qué talla tienes?
– Tengo la talla 38.
– Lo siento, no me queda la talla 38.

Do the role-play to the backing soundtrack on the recording. Try to complete the conversation before the time runs out.

Now choose one of the following options or invent your own. Practise exactly the same role-play and present it to the class. The class have to guess what the situation is.

Situations

The customer is:

- running late
- distracted by a small noisy child

The shop assistant has:

- an annoying dog
- sellotape stuck to their shoe

Changing the details

When you have learnt the basic role-play, you can substitute different items in the conversation. Remember to watch out for masculine/feminine/singular/plural.

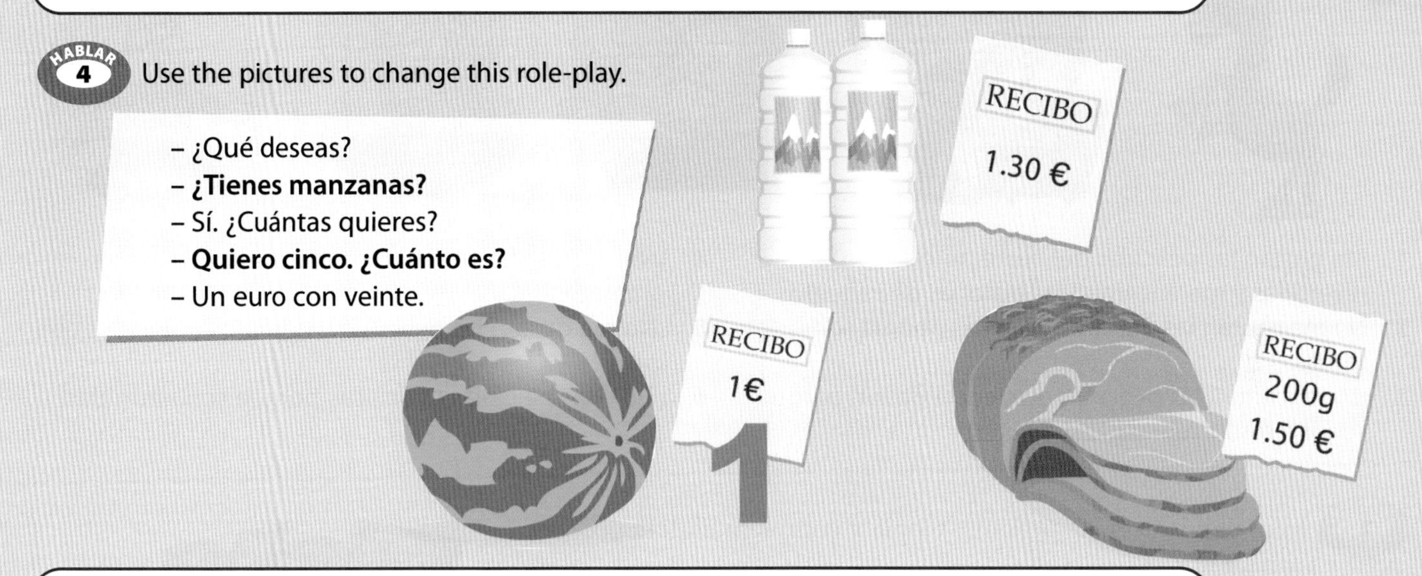

Being flexible

It is important to learn to speak in situations where you haven't planned every detail. You will need to listen to what your partner says, and think what to say next. This will include when things don't go as expected or people are not helpful.

Use the following ideas to make up a role-play as you go along.
You won't need all the words.

El camarero/La camarera

¿Algo más?
¿Y para comer?
11 euros.
¿Y para beber?
¿Qué deseas?
Sí.
Lo siento, no tengo.
¿Y de postre?
No.
Tengo bocadillos de jamón.

El/La cliente

¿Tienes tortilla?
¿Cuánto es?
Un agua mineral.
¿Qué bocadillos tienes?
Un café.
No, gracias.
Un bocadillo de queso.
Quiero un helado de chocolate.
Un té.
Un bocadillo de jamón.

HABLAR 6

You are going to work in pairs on a role-play in a clothes shop. First decide who will be the shop assistant and who will be the customer. Then work on your own. The shop assistant thinks of all the things he/she may need to say. The customer prepares his/her role. Do the conversation without planning together what is going to happen.

4 Repaso

¿Quién habla? Empareja las opiniones con los personajes. Hay una opinión de más.

Ejemplo: 1 a

a 

b 

c 

d 

e 

1 Me gustan las películas del oeste porque son divertidas y me encantan las historias de vaqueros.
2 No me gustan las películas cómicas porque son tontas.
3 ¡Me encantan las películas de ciencia-ficción porque son interesantes!
4 ¡Nos gustan las películas románticas porque son animadas!
5 ¡No me gustan las películas de dibujos animados con gatos!
6 ¡Odio las películas policíacas porque son aburridas!

Mira el póster de la película. Copia y completa el diálogo.

– Dos entradas para *Toy Story 2*, por favor.
– ¿Para qué sesión?
– ✻✻✻, por favor. ¿✻✻✻?
– Diez euros.
– ¿En qué sala es?
– En ✻✻✻.

3 Ahora inventa otro diálogo para comprar entradas de cine.

Escoge tres dibujos y habla de tu fin de semana.

¿Adónde fuiste? ¿Cómo fuiste? ¿Con quién fuiste?

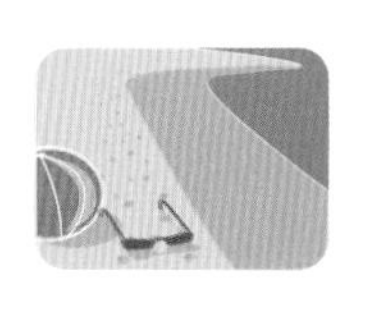  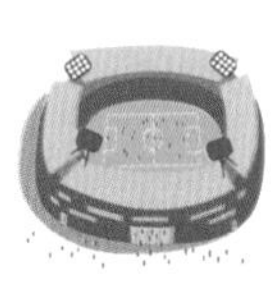     

5 Escribe frases a partir de los demás dibujos.
Write sentences using the remaining pictures.

Tipos de película	***Types of film***
¿Qué películas te gustan?	*What films do you like?*
Me gustan…	*I like…*
Te gustan…	*You like…*
Le gustan…	*He/She likes…*
una película…	*a/an… film*
de acción	*action*
de terror	*horror*
de guerra	*war*
de dibujos animados	*cartoon*
de ciencia-ficción	*science-fiction*
romántica	*romantic*
cómica	*comedy*
policíaca	*police*
una película del oeste	*a Western*

Las opiniones	***Opinions***
No me gusta(n)…	*I don't like…*
Prefiero…	*I prefer…*
Prefieres…	*You prefer…*
Prefiere…	*He/She prefers…*
porque (no) son…	*because they are/aren't…*
aburrido/a	*boring*
animado/a	*entertaining*
divertido/a	*fun*
gracioso/a	*funny*
tonto/a	*silly*
emocionante	*exciting*
inteligente	*intelligent*
interesante	*interesting*

Programas de televisión	***Television programmes***
¿Qué programas prefieres?	*What programmes do you prefer?*
Prefiero…	*I prefer…*
los anuncios	*adverts*
los concursos	*game shows*
los documentales	*documentaries*
las noticias	*the news*
los programas de deportes	*sports programmes*
los programas musicales	*music programmes*
las series	*TV series*
las telenovelas	*soap operas*

Una invitación	***An invitation***
¿Quieres salir conmigo esta tarde?	*Do you want to go out with me this afternoon?*
¿Adónde vamos?	*Where shall we go?*
¿Quieres ir al cine?	*Do you want to go to the cinema?*
¿Dónde quedamos?	*Where shall we meet?*
Quedamos en…	*Let's meet at…*
¿A qué hora?	*At what time?*
A la (una)/A las (seis).	*At (one o'clock/six o'clock).*
Dos entradas, por favor.	*Two tickets, please.*
¿Para qué sesión?	*For which showing?*
Para la sesión…	*For the showing at…*
¿Cuánto es?	*How much is it?*
Son (cinco) euros.	*It's (five) euros.*
¿En qué sala es?	*What screen is it on?*
En la sala…	*It's on screen number…*

El fin de semana pasado	***Last weekend***
¿Adónde fuiste?	*Where did you go?*
Fui a…	*I went to…*
¿Con quién fuiste?	*Who did you go with?*
Fui con…	*I went with…*
¿Qué hiciste?	*What did you do?*
Hice muchas cosas.	*I did lots of things.*
Hice fotos.	*I took photographs.*
fui	*I went*
fuiste	*you went (singular)*
fue	*he/she/it went, you* (usted) *went*
vi	*I saw*
viste	*you saw (singular)*
vio	*he/she/it saw, you* (usted) *saw*
hice	*I did*
hiciste	*you did (singular)*
hizo	*he/she/it did, you* (usted) *did*

Expresiones de tiempo	***Time phrases***
el fin de semana pasado	*last weekend*
antes de + infinitive	*before …ing*
antes de comer	*before eating*
después de + infinitive	*after …ing*
después de salir	*after going out*

I know how to...

- talk about different types of film and express opinions: *Me gustan las películas de terror porque son emocionantes. Odio las películas románticas.*
- invite someone out: *¿Quieres ir al cine? ¿Quieres ir al parque? ¿Dónde quedamos?*
- buy cinema tickets: *Dos entradas para la sesión de las cinco, por favor. ¿En qué sala es?*
- say which TV programmes I like and why: *Me gustan los programas de deportes porque son interesantes.*
- say where I went in the past, using the preterite of the verb *ir*: *Fui al cine. Fui a la playa.*
- use the verbs *hacer* and *ver* in the preterite to describe what I did in the past: *Hice muchas cosas. Vi una película.*
- ask other people what they did last weekend, where they went and with whom: *¿Qué hiciste? ¿Adónde fuiste? ¿Con quién fuiste?*
- use different time expressions to talk about something done in the past: *El fin de semana pasado, antes de* + infinitive, *después de* + infinitive, *el sábado por la mañana/por la tarde…*

Adelante

Interview a famous person. What films does he/she like and why? What did he/she do last weekend?

Design a film poster, including what type of film it is, how much the tickets are, what screen it is showing on, etc.

Draw a cartoon depicting where you went and what you did last weekend. Write captions to describe it.

¡Vámonos de vacaciones!

- **Contexts:** holidays, travel, activities
- **Grammar:** Future expressions; preterite of *-ar* verbs
- **Cultural focus:** Holiday destinations in Spain

LEER 1 Lee con tu compañero/a. Empareja cada medio de transporte con una descripción.

a 

el coche

b 

el ferry

c 

el barco

d 

el autocar

e 

el tren

f 

el avión

g 

la caravana

h 

la bicicleta

i 

la moto

1 *Me encanta el mar y tomar el sol, es muy relajante.*

2 *Me gusta viajar con mi familia y cocinar donde quiero. ¡Odio los hoteles!*

3 *Es el medio de transporte que prefiero porque es ecológico. Me encanta el deporte y es muy divertido cuando hace buen tiempo.*

4 *¡Me encanta volar y viajar muy lejos, a muchos países distintos!*

5 *Puedo pasear, comer, dormir, leer… y mirar por la ventana. Es mi medio de transporte preferido.*

6 *Me gusta el coche pero también me gusta mucho el mar. En vacaciones, viajo de Plymouth a Santander.*

7 *Para las distancias cortas, es perfecto. Puedo viajar con mis amigos, además puedo dormir y ver la televisión.*

8 *Me gusta viajar solo y ser independiente. No me gustan los coches y odio el tráfico.*

9 *No me gusta el transporte público, prefiero tener mi propio vehículo e invitar a mis amigos a viajar conmigo.*

Escucha y comprueba tus respuestas.

5.1 ¿Qué hay de interés?

- Say what there is to do in a place
- Ask and answer about holidays

¡A sus marcas!

¡A contrarreloj! A ver cuántos lugares de interés recuerdas en un minuto.

la playa, el restaurante…

Escucha y lee. Adam y sus amigos hablan de Benidorm. ¿Qué te gustaría a ti hacer allí?

Adam:	¡Mis primeras vacaciones en España! Mi padre quiere ir a Benidorm.
Fátima:	¡Qué buena idea! Además, no está lejos de Valencia, en coche se llega rápido.
Carlos:	¿Qué se puede hacer en Benidorm?
Fátima:	Se pueden hacer muchas cosas. Hay playas estupendas, un paseo muy bonito, un puerto…
Adam:	Sí, pero ¿qué hay para divertirse?
Fátima:	Se puede ir a la playa y también se puede ir a Aqualandia.
Carlos:	¿Qué es Aqualandia?
Fátima:	Es un parque temático estupendo, y es perfecto cuando hace calor.
Adam:	¿Qué hay para relajarse? Mi madre quiere tener unas vacaciones tranquilas.
Fátima:	Hay muchos restaurantes y cafés muy tranquilos y por las noches hay conciertos de música clásica.
Carlos:	¿Qué se puede comprar?
Fátima:	Hay recuerdos y muchas tiendas de artesanía.
Adam:	¿Se puede viajar a otros lugares de interés?
Fátima:	Sí, puedes ir en barco a una isla muy bonita y bucear allí, o visitar Altea o Calpe, que son dos ciudades estupendas y típicas.
Carlos:	¡Qué interesante! ¡Merece la pena ir, Adam!

la artesanía **crafts**
bucear **to go snorkelling**

Con tu compañero/a. Uno trabaja en una oficina de turismo. El otro le pide información. Utiliza las frases clave para ayudarte.

Ejemplo:

¿Qué se puede hacer en Barcelona/Londres?

Se pueden hacer muchas cosas: se puede ir al zoo, al parque temático…

¿Qué hay para divertirse?

¿Qué hay para relajarse?

¿Qué hay para visitar?

Frases clave ▶ 87

¿Qué hay de interés en tu ciudad?
Hay…
¿Qué se puede hacer en…?
Se puede…
Se puede viajar a…
Se pueden hacer muchas cosas.
¿Qué hay… para relajarse?
para divertirse?
¿Qué se puede comprar?
Merece la pena.

Escucha y lee. Empareja los pueblos con sus fotos. Utiliza un diccionario para ayudarte.

Para divertirse, para relajarse, para visitar lugares... ¡Andalucía merece la pena!

Visita los pueblos blancos: Ronda, Grazalema, Zahara de la Sierra... ¡y muchos más!

Ronda

En Ronda se pueden visitar los baños árabes y varios museos e iglesias interesantes.
Hay muchos sitios para pasar un buen rato: restaurantes, cafés y bares con tapas. En Ronda hay además una plaza de toros muy famosa y es el lugar ideal para comprar artesanía y productos de la zona. ¡Ronda es tu ciudad!

1

Grazalema

Grazalema celebra sus fiestas el 16 de julio, con espectáculos de flamenco, procesiones y también unos 'mini Sanfermines', en los que un toro corre por las calles. El pueblo está situado en la sierra de Grazalema, que es un parque natural con gran variedad de plantas. La sierra es tranquila e ideal para relajarse y pasear. Grazalema tiene más de 3.000 horas de sol al año, ¡pero las estadísticas dicen que es el lugar donde más llueve de toda España!

2

Zahara de la Sierra

La fiesta más famosa de Zahara, el Corpus Christi, está declarada de interés nacional. Los habitantes decoran sus casas con plantas y ramas y todo el pueblo parece un bosque. Es una localidad tranquila y rica en tradiciones. Además, ahora se pueden practicar deportes acuáticos. A Zahara van muy pocos turistas, ¡visita la Andalucía auténtica!

3

Empareja las dos mitades de las frases.

- a ¿Te gustan los deportes acuáticos?...
- b ¿Te interesan las celebraciones religiosas y los toros?...
- c El lugar con mucho sol pero también mucha lluvia...
- d ¿Te gusta la cultura e ir de compras?...
- e ¿Quieres vivir una experiencia auténtica lejos del bullicio?...

1. Grazalema es el lugar para ti.
2. Tienes que visitar Ronda.
3. Zahara de la Sierra es el lugar que buscas.
4. Tienes que visitar Zahara.
5. Se llama Grazalema.

Con tu compañero/a, haz un folleto sobre una ciudad.

5.2 ¿Adónde fuiste?

- Say where you went
- Say who you went with, and how you travelled
- Revise the verb *ir* in the preterite

¡A contrarreloj! Separa las palabras. ¿Masculinas o femeninas?

cinepiscinacolegioiglesiarestaurantebarhospitalplazasupermercado

1 Escucha y rellena el cuadro.

	¿Adónde fuiste?	¿Con quién fuiste?	¿Cómo fuiste?	¿Cuánto tiempo pasaste allí?
Anita	**Las islas Canarias**	mi familia	en avión	tres semanas
Lorenzo	**Andorra**			
Fernando	**Tarifa**			
Lola	**Segovia**			

Frases clave ▶ 87

¿Adónde fuiste?
Fui a…
¿Con quién fuiste?
Fui con…
¿Cómo fuiste?
Fui en…
¿A qué fuiste?
Fui a…
¿Cuánto tiempo pasaste allí?
Pasé dos semanas.

2 Escucha otra vez y contesta a las preguntas en inglés.

a Why did Anita go to the Canary Islands?

b What sport did Lorenzo do?

c What was the weather like in Andorra?

d What did Fernando do in Tarifa and why?

e Why did Lola go to Segovia for such a short period of time?

f What did she do there?

3 Escoge dos dibujos y habla de tus vacaciones. Utiliza las preguntas del ejercicio 1 para ayudarte.

Ejemplo: Fui a Chile con un amigo en bicicleta.
Pasé allí dos semanas.

4 Mira el cuadro. Escribe frases. Decide si son absurdas o no.

	a...	a...	con...	pasé allí...
1 Fui		ver los barcos	mi padre	un día
2 Fuiste		ver una película	un amigo	dos semanas
3 Fue	Restaurante	tomar un helado	mi perro	una semana
4 Fuimos		pasear	mis abuelos	una tarde
5 Fuisteis		nadar	una prima	cinco días
6 Fueron		bailar	mi familia	un mes

5 Ahora escribe tres frases que tengan sentido con un fragmento de cada columna.

Ejemplo: Fui a la playa a nadar con mi amigo; pasé allí una tarde.

6 Lee el correo electrónico de Rodrigo. ¿Verdad (✔) o mentira (✘)?

¡Hola, Manuel!
¿Quieres saber qué tal mis vacaciones? Fui a Vigo en coche con mi familia – no me gusta mucho viajar con mis hermanos porque son ruidosos y el viaje fue aburrido. Vigo está en la costa y fuimos desde Madrid. ¡Cinco horas! Y con mucho calor...
Todas las mañanas fui a la playa a nadar y tomar el sol con mi madre y padre, y todas las tardes con toda la familia a un restaurante. ¡El pescado es muy rico!
Pasamos en Vigo quince días y quiero volver. ¡Fueron unas vacaciones estupendas!
¿Y tú? ¿Adónde fuiste? ¿Cómo fuiste? ¿Con quién fuiste? ¿Cuánto tiempo pasaste allí?
Un abrazo,
Rodrigo :-)

a Rodrigo fue a Vigo en autocar.
b El viaje de Rodrigo fue largo.
c Rodrigo fue a la playa con sus padres.
d Por las tardes fue a un restaurante con sus padres y sus hermanos.
e Rodrigo pasó dos semanas en Vigo.

Reto Contesta al correo electrónico de Rodrigo con toda la información que pide.

5.3 ¿Qué vas a hacer en tus próximas vacaciones?

¡A sus marcas!

Mira las fotos del ejercicio 1. ¿Conoces alguno de estos lugares?

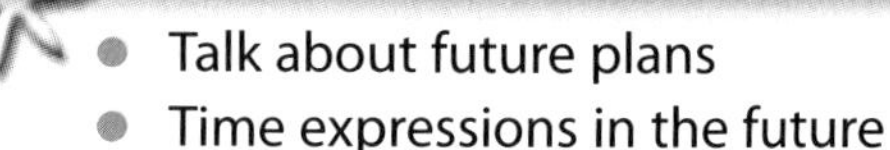

- Talk about future plans
- Time expressions in the future

1 Escucha y lee. ¿Qué sueñan con hacer estos chicos? Empareja las personas con los lugares.

¿Qué vas a hacer en tus próximas vacaciones?

Catalina
En mis próximas vacaciones quiero ir a las cataratas del Iguazú entre Argentina y Brasil. ¡Caen 553 metros cúbicos de agua por segundo! Quiero además pasar por debajo de la catarata en barco… ¡debe de ser fascinante!

Carlos
Tengo planeado ir a la Alhambra, una de las maravillas del mundo. Está en Granada, en España, y es un palacio árabe. Tengo ganas de visitar el palacio y sus jardines.

Belén
En mis próximas vacaciones me encantaría visitar Machu Picchu, en Perú. Es una ciudad antigua que está a una altura de más de 3.000 metros. Se puede subir la montaña a pie, ¡es muy cansador pero merece la pena!

Javi
Me gustaría bailar el tango en La Boca, el barrio más famoso de Buenos Aires. En él las casas son de muchos colores y hay un ambiente increíble.

Arturo
En mis próximas vacaciones espero ir a Madrid. Voy a pasear por el parque más famoso, el Retiro, y voy a pintar el lago con otros pintores.

a

b

c

d
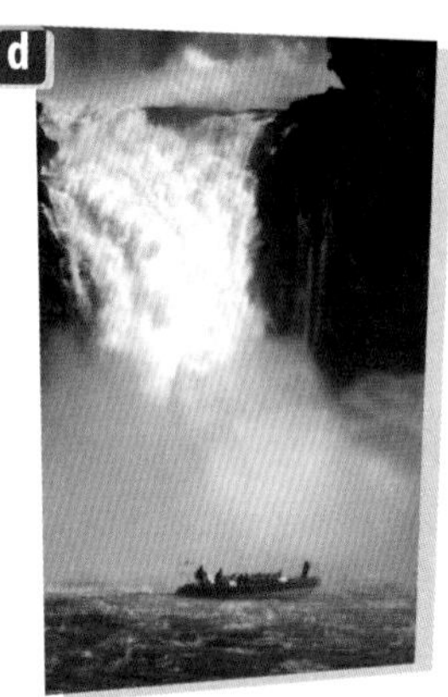

e

Zoom *gramática*

Future expressions

You have already met *voy a* + infinitive, meaning 'I'm going to…':

¿Qué vas a hacer en las próximas vacaciones?
Las próximas vacaciones voy a ir a Cuba.

But there are other expressions to talk about future plans that work in the same way:

Tengo ganas de salir por la noche. I look forward to going out at night.

Me encantaría visitar Madrid. I would love to visit Madrid.

Me gustaría nadar en el mar. I would like to swim in the sea.
Espero viajar en avión. I hope to travel by plane.
Tengo planeado ir a Tenerife en barco. My plan is to go by boat to Tenerife.

2 How would you say the following?

a I would love to go for a walk.
b I hope to play football.

Think up two more examples using different future expressions.

 Con tu compañero/a. Habla de tus planes para tus próximas vacaciones. Utiliza los dibujos.

 Escribe tus planes del ejercicio 3.

 Lee la carta de Tom y contesta a las preguntas en inglés.

- a Where is Tom going to stay?
- b Who is he going with?
- c What is he looking forward to?
- d Why would he like to swim with his brother?
- e How much time would he like to spend in Cambados?

Las próximas vacaciones de verano, espero ir a casa de mi abuela en Cambados con mi familia. Tengo planeado ir a la playa y salir con mis amigos. Tengo ganas de comer en un restaurante y sentarme en una terraza con mi familia. Me encantaría nadar con mi hermano porque nada muy bien. Me gustaría pasar allí dos semanas antes de volver a Inglaterra.
Y tú, ¿qué vas a hacer en las próximas vacaciones? ¿Tienes planes?
¡Hasta luego!
Tom

5.4 ¿Qué hiciste?

- Say what you did on holiday
- Talk about future holiday plans

Escucha y lee el diálogo. ¿Qué actividades te gustaría a ti hacer?

Carlos: ¡Eh, chicos! ¡Es Adam!
Fátima y Raquel: ¿Qué tal las vacaciones en Benidorm?
Adam: Fueron fantásticas… lo pasé fenomenal.
Raquel: ¿Dónde te alojaste?
Adam: Me alojé en un hotel cerca de la playa. Hacía mucho calor… Me bañé y nadé en el mar todos los días. Y tú, Fátima, ¿adónde fuiste?
Fátima: Fui con mi familia a Valladolid y nos alojamos en casa de mi familia… ¿Qué más hiciste, Adam?
Adam: ¡Alquilé una bicicleta y recorrí toda la costa! También pasée en la playa.
Fátima: Yo visité muchas iglesias y monumentos todo el tiempo, y no nadé. ¡En Valladolid no hay playa!
Adam: ¡Tomé un barco para ir a una isla cerca de Benidorm y buceé mucho!
Fátima: Por la tarde tomé helados porque hacía mucho calor…
Adam: ¡Y por la noche bailé en la discoteca y canté en el karaoke del hotel!
Carlos: Espero ir a Benidorm el verano próximo. Estas vacaciones vamos a Argentina a casa de unos amigos.
Raquel: Tengo ganas de visitar Latinoamérica. Me encantaría ver países distintos.
Fátima: Yo quiero ir de vacaciones…¡Pero con mis amigos!

Use ***hacía*** to describe weather in the past: **hacía sol, hacía calor**.

recorrí toda la costa **I went along the coast**
nos alojamos **we stayed**

Zoom *gramática*

▶ 146

The preterite

You use the preterite to describe what you did in the past. To form the preterite of regular *-ar* verbs, take the *-ar* off the infinitive and add the following endings:

bailar	*to dance*
*bail**é***	I danced
*bail**aste***	you danced (singular)
*bail**ó***	he/she/it danced, you (*usted*) danced
*bail**amos***	we danced
*bail**asteis***	you danced (plural)
*bail**aron***	they danced, you (*ustedes*) danced

Now look for the *-ar* verbs in the dialogue above.

Answer the following questions.

a How would you say in Spanish:
- Where did you stay?
- I hired a bike.
- I went snorkelling.

b How would you translate into English:
- Tomé un helado.
- Tomé un barco.
- Tomé el sol.

Con tu compañero/a, haz un diálogo. Utiliza los dibujos. Tú eres Luis.

¿Con quién viajaste? | *¿Dónde te alojaste?* | *¿Qué hiciste?* | *Viajé con…* | *Visité…*

¿Adónde fuiste? | *Fui a Barcelona.* | *¿Cómo fuiste?* | *¿Qué visitaste?* | *Me alojé en…*

Lee las postales en voz alta. ¿Quién es?

Ejemplo: **a** Amelia

- a Le gustan las actividades culturales.
- b Se bañó en el mar.
- c Tomó el sol en la playa.
- d Viajó con su familia.
- e Va a cenar en la ciudad por la noche.
- f Mañana va a pasar un rato en el mar.

POSTAL

¡Hola María!
Ayer viajé de Inglaterra a Madrid. Tomé el avión y me alojé en un albergue juvenil con mis amigos. Visité muchos museos de arte y paseé por los parques. Esta noche voy a ir de discotecas y voy a cenar en un restaurante en el centro.
Besos,
Amelia

Postal

Querido Roberto,
Hoy estoy en Chiclana, pero ayer viajé a Cádiz con mis padres y nos alojamos en un camping cerca de la playa con la caravana. ¡Cádiz es precioso! Nadé en el mar y tomé mucho el sol. ¡Qué calor! Mañana voy a bucear. Tengo ganas de pasar tiempo en la playa.
Un abrazo fuerte,
Elena

Reto Escribe una postal a un(a) amigo/a. ¿Adónde fuiste? ¿Con quién? ¿Dónde te alojaste y qué hiciste?

un albergue juvenil **youth hostel**

5.5 Entre amigos

Las líneas de Nasca

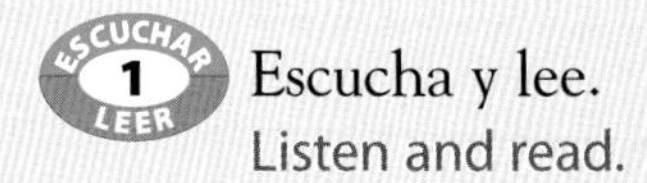

1 Escucha y lee.
Listen and read.

El año pasado fui a Perú a visitar a Eric, mi amigo peruano. Él vive en Lima, así que estuvimos en su casa con su familia. En Lima se pueden hacer muchas cosas pero es una ciudad caótica y con mucha polución. Después viajamos por el país durante una semana.

Mi viaje favorito fueron las líneas de Nasca, al sur del país. Nasca es un desierto – ¡solamente llueve veinte minutos en todo el año! – y por eso es un lugar seco y también muy llano. En este desierto hay dibujos muy antiguos de animales y figuras geométricas que datan desde el año 200 a.C al año 600 d.C.

Fuimos a ver las líneas de Nasca en avión; se puede ir a pie por el desierto pero los dibujos cubren 400 millas cuadradas de desierto, ¡una superficie enorme! Las líneas se ven con mayor claridad desde el avión. Los dibujos eran impresionantes y muy misteriosos – ¡son un enigma! Muchos dicen que los dibujos eran parte de un calendario gigante, otros dicen que son figuras que los habitantes de Nasca hicieron para atraer la lluvia… No soy un experto, pero me gustaría volver a Nasca; espero visitar las líneas otra vez. Las próximas vacaciones quiero ir a Machu Picchu, la ciudad perdida de los Incas. Tengo muchas ganas de ir, pero está a mucha altitud, ¡a más de 3000 metros!

Tomás

Colombia
Ecuador
Perú
Brasil
LIMA
Nasca
Bolivia
Chile

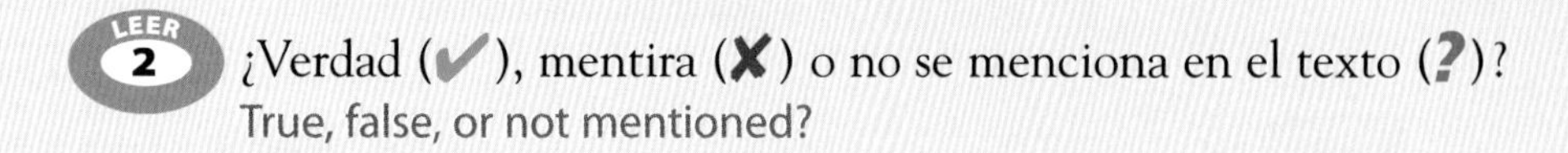

2 ¿Verdad (✔), mentira (✘) o no se menciona en el texto (?)?
True, false, or not mentioned?

- **a** The inhabitants of the Nasca desert wanted water desperately.
- **b** Some people think that the Nasca lines are a sort of calendar.
- **c** One of the most famous drawings is the one of a spider.
- **d** It is better to visit the desert on foot to see the drawings.
- **e** Tomás loved Lima.
- **f** He would love to go back to Machu Picchu.
- **g** Machu Picchu is a desert.
- **h** It rains very little in Lima.

seco	dry
llano	flat
la superficie	area
cubren	cover

Escribe las palabras que faltan y descubrirás el nombre de una de las figuras de Nasca que mide 32 metros de largo.
Fill in the words on the grid to discover the name of one of the shapes from Las Líneas de Nasca which measures 32 metres long.

1 Tomás y Eric se quedaron en la capital de Perú, que se llama…
2 Después viajaron por Perú durante una…
3 En Nasca solamente llueve veinte … al año.
4 Las líneas de Nasca representan animales y… geométricas.
5 No llueve mucho en Nasca. Es muy…
6 Las líneas de Nasca son un…
7 Tomás y Eric viajaron en… Para ver las líneas.
8 Tomás es de España; es español. Eric es de Perú; es…
9 Nasca es un lugar seco y llano, es un…
10 Machu Picchu es un lugar con una… de más de 3.000 metros.

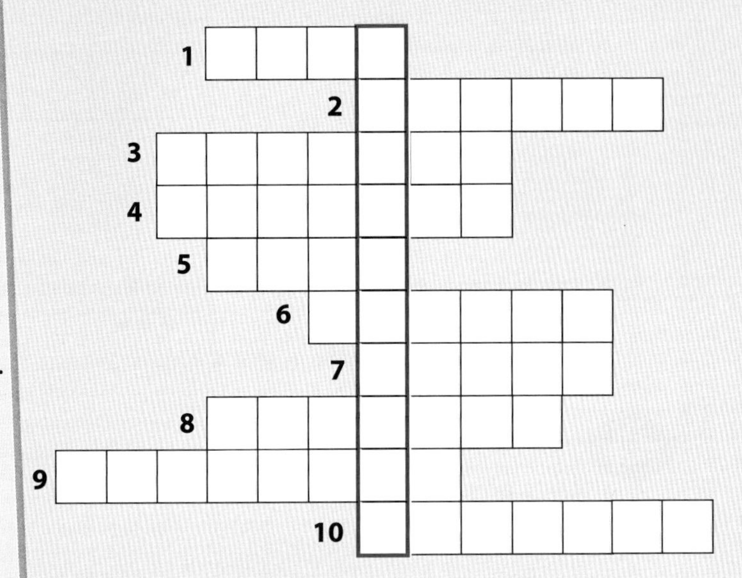

Lee y completa el correo electrónico de Eric.
Read and complete Eric's email.

¡Las vacaciones pasadas ✱✱✱ estupendas! Mi amigo Tomás vino a Lima a visitarnos a mí y a mi familia, ✱✱✱ muchas cosas divertidas.
Después ✱✱✱ con él a Nasca donde hay unos dibujos antiguos muy interesantes. ✱✱✱ a ver las líneas en avión, ¡✱✱✱ muy misteriosas! El año próximo ✱✱✱ ir a España a ver a Tomás. ¡Él dice que España es fascinante pero que no hay nada que se pueda comparar con las líneas de Nasca!

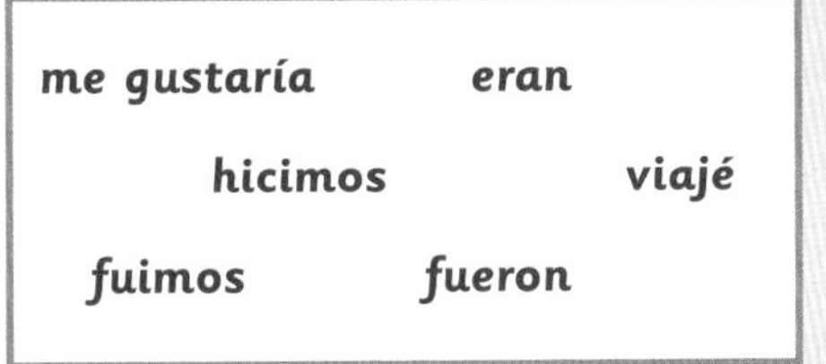

5 Repaso

LEER 1 ¿Qué hay de interés en cada lugar? Mira el cuadro y completa las frases.

Madrid	✔			✔		✔
Ibiza		✔	✔			
Zamora	✔				✔	

En Madrid hay **museos, un aeropuerto** y **un estadio** que se llama Santiago Bernabéu.
En Ibiza hay un ✻✻✻ y muchas ✻✻✻.
En Zamora hay ✻✻✻ e ✻✻✻ importantes.

Lee el texto sobre las vacaciones de Arantxa y contesta a las preguntas en inglés.

Durante mis vacaciones fui a Bermeo, un pueblo pequeño en el norte de España, con mis amigos. Nos alojamos en una caravana muy cerca de la playa. Hacía muy buen tiempo, así que nadamos y buceamos todos los días. El fin de semana alquilamos unas bicicletas y paseamos por el puerto. El lunes fue mi día favorito porque fuimos a Bilbao. Es una ciudad fácil de visitar porque hay un metro muy rápido y limpio. Fuimos al museo de arte moderno y a un restaurante muy bueno a comer comida típica. Las próximas vacaciones me gustaría alojarme en Bilbao y visitar otros pueblos interesantes, como Guernica. Bermeo es muy bonito pero pequeño, y Bilbao tiene más lugares de interés.

a Where is Bermeo?
b Who did Arantxa go on holiday with?
c Where did they stay?
d What was the weather like?
e What two things did they do every day?
f What did they do at the weekend?
g How did they get around in Bilbao?
h What are Arantxa's plans for next year's holidays? Why?

Lee el diario de Lola y escribe frases.

Ejemplo: El sábado a las diez fui a la piscina a nadar con María y Conchi.

4 Sábado

10.00 = piscina (María y Conchi)

13.30 = restaurante (Javier y Luis)

18.00 = cine (Antonio y Luisa)

5 Domingo

12.00 = playa (Julián)

17.00 = parque (bicicleta) con Antonio

Los medios de transporte	***Means of transport***
el autocar	*coach*
el avión	*aeroplane*
el barco	*boat*
la bicicleta	*bicycle*
la caravana	*caravan*
el coche	*car*
el ferry	*ferry*
la moto	*motorbike*
el tren	*train*

¿Qué hay de interés?	***What is there of interest?***
Hay…	*There is/There are…*
un estadio	*a stadium*
un mercado	*a market*
un parque temático	*a theme park*
una piscina	*a swimming pool*
una playa	*a beach*
un polideportivo	*a sports centre*
un puerto	*a port*
un restaurante	*a restaurant*

¿Qué se puede hacer en…?	***What can you do in…?***
Se puede…	*You/One can…*
Se puede viajar a…	*You can travel to…*
Se pueden hacer muchas cosas.	*You can do lots of things.*
¿Qué hay…	*What is there…*
…para relajarse?	*…to relax?*
…para divertirse?	*…to enjoy yourself?*
…para visitar?	*…to visit?*
¿Qué se puede comprar?	*What can you buy?*
Merece la pena.	*It's worth it.*

Las vacaciones pasadas	***Past holidays***
¿Adónde fuiste?	*Where did you go?*
Fui a…	*I went to…*
¿Con quién fuiste?	*Who did you go with?*
Fui con…	*I went with…*
¿Cómo fuiste?	*How did you travel?*
Fui en…	*I went by…*
¿A qué fuiste?	*What did you go there for?*
Fui a…	*I went there to…*
¿Cuánto tiempo pasaste allí?	*How long did you go for?*
Pasé allí dos semanas.	*I was there for two weeks.*
¿Adónde fuiste?	*Where did you go?*
Fui a…	*I went to…*
¿Con quién viajaste?	*Who did you travel with?*
Viajé con…	*I travelled with…*
¿Dónde te alojaste?	*Where did you stay?*
Me alojé en…	*I stayed in…*
¿Qué visitaste?	*What did you visit?*
Visité…	*I visited…*
¿Qué hiciste?	*What did you do?*
Hice muchas cosas.	*I did lots of things.*
nadar	*to swim*
Nadé.	*I swam.*
Tomé el sol.	*I sunbathed.*
Tomé un helado.	*I had an ice-cream.*
Tomé un barco.	*I took a boat.*
alquilar	*to hire*
Alquilé una bicicleta.	*I hired a bike.*
bucear	*to go snorkelling*
Buceé.	*I went snorkelling.*
bailar	*to dance*
Bailé.	*I danced.*
pasear	*to walk*
Paseé.	*I went for a walk.*
comprar	*to buy*
Compré…	*I bought…*
¿Qué tiempo hacía?	*What was the weather like?*
Hacía calor.	*It was hot.*
Hacía frío.	*It was cold.*
Hacía buen tiempo.	*The weather was good.*
Hacía mal tiempo.	*The weather was bad.*

Las próximas vacaciones	***The next holidays***
¿Qué vas a hacer en las próximas vacaciones?	*What are you going to do in the next holidays?*
Voy a…	*I am going to…*
Tengo ganas de…	*I look forward to…*
Me encantaría…	*I would love to…*
Me gustaría…	*I would like to…*
Espero…	*I hope to…*
Tengo planeado…	*My plan is to…*

5 Ya sé...

I know how to...

- ask and say what there is of interest in a town/city: *¿Qué hay de interés en tu ciudad? En mi ciudad hay un estadio, un museo...*
- express what there is to do in a town to enjoy yourself, to relax, to visit: *Para divertirse/para relajarse/para visitar hay... Se puede...*
- ask and answer about past holidays using the verb *ir* in the preterite: *¿Adónde fuiste? Fui a Madrid. ¿Con quién fuiste? Fui con mi familia. ¿Cómo fuiste? Fui en avión. ¿A qué fuiste? Fui a visitar los museos.*
- ask and answer about future holiday plans using new expressions: *¿Qué vas a hacer las próximas vacaciones? Las próximas vacaciones voy a... Espero ir a... Tengo planeado...*
- say what I would like to do for my next holiday: *Las próximas vacaciones, me gustaría ir al Caribe. Me encantaría tomar el sol en una playa tropical... Tengo ganas de viajar a Perú.*
- ask and answer about holidays in the past using regular *-ar* verbs in the preterite: *¿Dónde te alojaste? Me alojé en un hotel. ¿Qué visitaste? Visité los museos.*
- say what I did during my holidays and ask others: *¿Qué hiciste durante tus vacaciones? Nadé en el mar, buceé, alquilé una bicicleta...*

Adelante

Draw and describe your ideal city. What does it have of interest? What is there to entertain people?

You are a journalist for the magazine *¡Hola!*. Describe the holidays of a famous person.

Interview two friends. Ask them about their plans for their next holiday and write a report.

El intercambio

- **Contexts**: exchanges, personality, appearance
- **Grammar**: indirect object pronouns, verbs of necessity, adverbs, the preterite of *-er* and *-ir* verbs
- **Language learning**: writing strategies
- **Cultural focus**: foreign exchanges

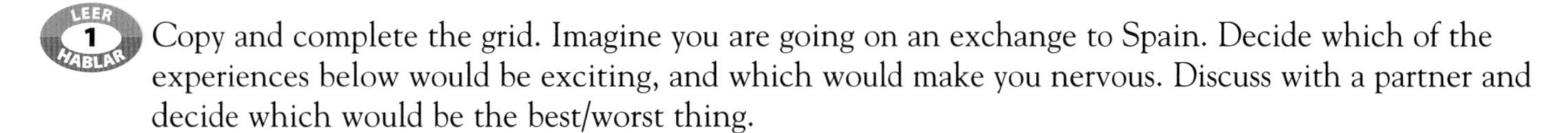

1 LEER HABLAR Copy and complete the grid. Imagine you are going on an exchange to Spain. Decide which of the experiences below would be exciting, and which would make you nervous. Discuss with a partner and decide which would be the best/worst thing.

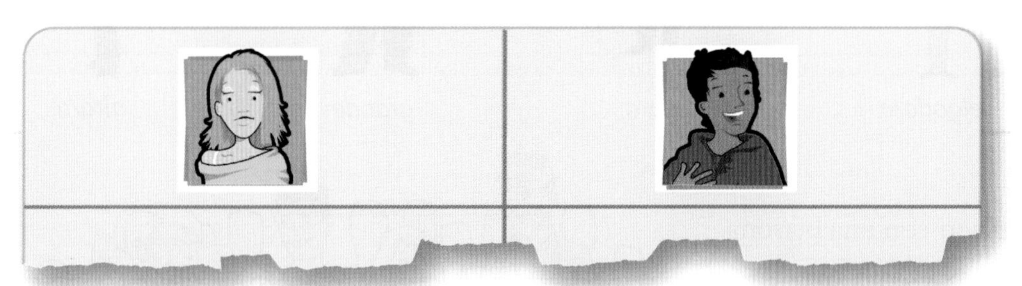

ir al colegio en España

escuchar música española

hablar español

hacer nuevos amigos

comer platos españoles

viajar en avión

ir a España

ver la televisión en español

escapar de mi familia

dormir en casa de una familia española

2 ESCRIBIR Escribe frases con *Me gustaría…* y *No me gustaría…*

Ejemplo: Me gustaría hacer nuevos amigos porque me gustaría hablar español.

y | pero | entonces | porque | por ejemplo

6.1 ¿Cómo son?

- Describe people's appearance and their personality
- How to use indirect object pronouns

¡A sus marcas!

Empareja los contrarios.

gordo/a

viejo/a

guapo/a

pequeño/a

joven

feo/a

delgado/a

bajo/a

grande

alto/a

LEER 1 Empareja cada descripción con una persona del dibujo.

- **a** Es joven, bastante alto, con el pelo corto y castaño. Tiene los ojos verdes.
- **b** Es viejo, tiene los ojos castaños y muy poco pelo. Es delgado.
- **c** Es bastante gorda, con los ojos azules y el pelo rubio. Lleva gafas.
- **d** Es baja, con los ojos azules y el pelo largo.

LEER 2 Lee las descripciones. Adivina quién es.

a Es muy inteligente y serio, le gusta leer y le gusta la música clásica. Es impaciente, pero simpático.

b Es una persona divertida, activa. Le gusta salir a bailar y le gustan los deportes. No le gusta ir al supermercado, pero le gusta comprar ropa.

c Es muy trabajadora, organizada y eficiente. Le gusta montar a caballo y chatear con amigos en Internet. Habla muy bien el francés.

d Es afectuosa, cariñosa. Le gustan los animales y los niños. Le gusta trabajar en el jardín y cocinar.

ESCUCHAR 3 Escucha y comprueba tus respuestas.

Frases clave 104

activo/a
afectuoso/a
cariñoso/a
divertido/a
organizado/a
serio/a
simpático/a
eficiente
impaciente
inteligente
deportista
trabajador(a)

Querida Fátima,

Hola, soy Louise. Soy inglesa y vivo en Oxford. Tengo catorce años y mi cumpleaños es el cuatro de enero. Tengo dos hermanas, pero no tengo hermanos. Vivo con mis padres.

Voy a Valencia a visitarte con el intercambio en marzo. Gracias por tu carta y las fotos de tu familia. Parecen muy simpáticos.

Voy a llevar unos regalos para tu familia. Tu madre es muy inteligente y habla inglés. Por eso le compré [regalo]. A tu padre, le compré [regalo] porque es muy deportista y le gusta el fútbol. A tu hermano le compré [regalo] porque es divertido y le gusta la música. También te compré algo a ti pero... ¡es una sorpresa!

Un abrazo,
Louise

LEER 4 Lee la carta y escoge el mejor regalo para cada miembro de la familia de Fátima.

- una planta
- una camiseta del Arsenal
- un CD
- un yoyó
- un libro en inglés
- un libro de cocina

Zoom gramática

138

Indirect object pronouns

An indirect object pronoun tells you who something is for:

***Le** compré un DVD.* I bought (for) **him** a DVD.
***Le** voy a comprar un libro.* I'm going to buy (for) **her** a book.

Notice that the pronoun comes before the verb.

me compré	I bought (for) myself
te compré	I bought (for) you (singular)
le compré	I bought (for) him/her/it, you (*usted*)
nos compré	I bought (for) us
os compré	I bought (for) you (plural)
les compré	I bought (for) them, you (*ustedes*)

See how many indirect object pronouns you can find in Louise's letter.

HABLAR 5 Imagine you are going to Spain. Explain to a partner what you are going to buy for four friends or family members and say why.

Ejemplo: A: ¿Qué vas a comprar para tu hermana?
B: Le voy a comprar un ipod, porque es una persona divertida.

Reto Escribe una carta presentándote a ti y a tu familia a un(a) amigo/a español(a).

Mi casa es tu casa

- Talk about what needs to be done
- Talk about when you get things done
- Ask what someone needs

¡A sus marcas!

Escoge las seis cosas más importantes que hay que hacer.

a

hacer la cama de Louise

b

limpiar la casa

c

cocinar

d

colgar globos

e

comprar un regalo

f

comprar flores

g

tirar las zapatillas malolientes

h

sacar las cajas de su dormitorio

Lee y haz una lista de las cosas que tiene que hacer Fátima. Marca las que ha hecho ya.

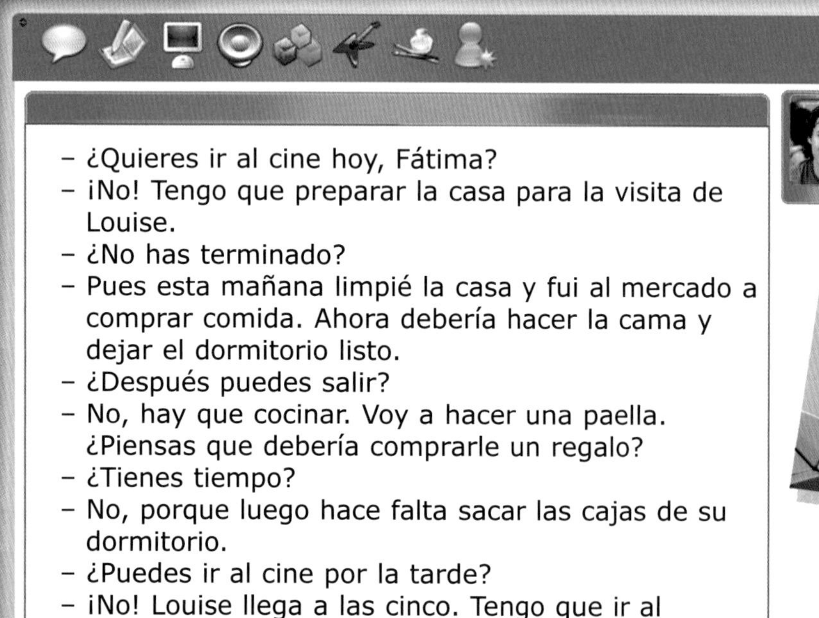

- ¿Quieres ir al cine hoy, Fátima?
- ¡No! Tengo que preparar la casa para la visita de Louise.
- ¿No has terminado?
- Pues esta mañana limpié la casa y fui al mercado a comprar comida. Ahora debería hacer la cama y dejar el dormitorio listo.
- ¿Después puedes salir?
- No, hay que cocinar. Voy a hacer una paella. ¿Piensas que debería comprarle un regalo?
- ¿Tienes tiempo?
- No, porque luego hace falta sacar las cajas de su dormitorio.
- ¿Puedes ir al cine por la tarde?
- ¡No! Louise llega a las cinco. Tengo que ir al aeropuerto.

Frases clave ▶ 104

por la mañana
por la tarde
ahora
luego
después
todavía

Zoom gramática

▶ 144, 145

Saying what you need to do

Here are some ways of talking about things you need to do:

tengo que	I have to
debería	I ought to
necesito	I need to

You can also use *hay que* and *hace falta*, both meaning 'it is necessary to'.

Find examples of ways of expressing need on this page. What sort of word always follows them?

Empareja las cinco preguntas en inglés con sus equivalentes en español.

- a Are you hungry?
- b Do you want a glass of water to take an aspirin?
- c Do you need anything, a towel or soap?
- d How was the journey?
- e Are you tired?

1. ¿Qué tal el viaje?
2. ¿Estás cansada?
3. ¿Necesitas dormir?
4. ¿Te gustaría ver tu dormitorio?
5. ¿Quieres llamar a tu familia en Inglaterra?
6. ¿Prefieres hablar en español o en inglés?
7. ¿Tienes hambre?
8. ¿Quieres un vaso de agua para tomar una aspirina?
9. ¿Quieres ir al cuarto de baño a ducharte?
10. ¿Te hace falta algo, una toalla o jabón?

¿Qué significan las demás preguntas españolas del ejercicio 3?
What do the rest of the questions in exercise 3 mean?

Escucha a Fátima y a Louise (1–9) y utiliza estas palabras para contestar a las preguntas.

sí | no | bien | español

Escucha otra vez y contesta a estas preguntas en inglés.

- a How long was the flight?
- b Why doesn't Louise want to sleep now?
- c Why doesn't Louise want to use the phone?
- d Why does Louise want to speak Spanish?
- e Why does Louise need an aspirin?

Haz un diálogo.
Use Fátima's questions and what you remember or invent for Louise's answers.

How many of the words or expressions on this spread could you use to help you speak Spanish in the classroom?

6.3 Conocer a los amigos

1 ESCUCHAR / LEER — Escucha y lee la fotohistoria. ¿Va a estar todo el mundo contento?

1

Fátima: Quieres conocer a mis amigos, ¿sí? Pero ¿adónde vamos, Louise?
Louise: No sé, ¿qué hacéis normalmente?
Fátima: Pues Carlos quiere ir al cine, ¿verdad Carlos?

2

Carlos: Sí. ¿Qué piensas, Louise? Hay una película muy buena, pero es en español, no en inglés.
Louise: No sé. No entiendo muy bien el español y en las películas hablan muy rápidamente.
Carlos: Sí, yo hablo inglés muy mal, y no me gusta ver películas en inglés, es muy difícil.

3

Louise: ¿Qué hacéis cuando no vais al cine?
Fátima: Pues, generalmente vamos a casa de un amigo o algo así. ¿Llamo a Jorge?

4

Fátima: Hola Jorge, ¿qué haces?
Jorge: Hola Fátima, estoy aquí, en casa.
Fátima: ¿Quieres conocer a Louise, mi amiga inglesa?

5

Fátima: Vamos a casa de Jorge, es muy buen amigo y realmente quiere conocerte.

6

Jorge: Hola, voy a poner un DVD, es de una película en inglés, pero desafortunadamente no tiene subtítulos en español. ¿Qué pensáis?

Zoom gramática

136

Adverbs

An adverb is a word used to describe a verb. In English, adverbs usually end in '-ly'. In Spanish they usually end in *-mente*.

rápidamente quickly
normalmente normally

If an adjective ends in *-o*, change it to an *a* before adding *-mente* to make it into an adverb:

serio ➛ *seriamente*	serious ➛ seriously
peligroso ➛ *peligrosamente*	dangerous ➛ dangerously

Bien (well) and *mal* (badly) are also adverbs, but they are irregular and don't end in *-mente*.

Read the photostory again and find all the adverbs. Copy and fill in the grid.

Adverb	English
rápidamente	quickly

Busca los verbos en presente de la fotohistoria. Copia y rellena el cuadro.

1st person		1st person plural	
2nd person	quieres (you want)	2nd person plural	
3rd person		3rd person plural	

Empareja cada frase con la foto apropiada.

- **a** Fátima sugiere ir a casa de un amigo.
- **b** Jorge quiere ver un DVD.
- **c** Louise dice que no entiende las películas en español.
- **d** Fátima y Louise hablan sobre adónde quieren ir.
- **e** Fátima sugiere llamar a Jorge.
- **f** Carlos está de acuerdo con Louise: es muy difícil.
- **g** Fátima llama a Jorge.
- **h** Deciden ir a casa de Jorge.

Copia y corrige estas frases.

Ejemplo: a <u>Carlos</u> quiere ir al cine.

- **a** Louise quiere ir al cine.
- **b** Hay una película muy mala.
- **c** La película es en inglés.
- **d** Louise entiende muy bien el español.
- **e** Carlos habla inglés muy bien.
- **f** Jorge quiere ver un vídeo.
- **g** Es el DVD de una película española.

En grupos de cuatro, practica el diálogo de la fotohistoria.

Escribe la fotohistoria. Utiliza frases de los ejercicios 4 y 5.

Ejemplo: Fátima y Louise hablan sobre adónde quieren ir…

Gracias… lo pasé bomba

- Talk about what you did on an exchange visit
- Give your opinion of what it was like

¡A sus marcas!
Escucha y lee.

Querida Fátima,

¡Muchas gracias por todo! Lo pasé bomba en España.
Aquí en Inglaterra llueve y hace frío.

Tengo muchas fotos de Valencia y de tus amigos.
Saqué fotos cuando fuimos al centro de la ciudad
con los profesores. Estuvo genial. Tengo fotos de
cuando fuimos a casa de Jorge y vimos la película
en inglés con Carlos. Pobre Carlos, no entendió
nada.

Hay una foto de cuando fui a la cafetería de tu
colegio y comí y bebí con tus amigos. Decidí no
sacar fotos en las clases, pero tengo una foto de tu
profesora de matemáticas en la entrada del
colegio.

Fue fantástico, pero lo mejor fue que conocí a ti y a
tu familia. Y en junio vas a venir a Inglaterra. ¡Qué
guay!

Gracias a ti y a tu familia. Un abrazo a todos,

Louise

1 Lee la carta otra vez y busca una leyenda para cada foto.
Read the letter and find a caption in Spanish for each photo.

Ejemplo: Cuando fuimos a casa de Jorge

2 Busca en la carta estas opiniones.

- a I had a great time
- b It was great
- c It was fantastic
- d The best thing was
- e How cool

Zoom gramática

146

The preterite: regular -er and -ir verbs

comer to eat	***decidir*** to decide
comí	*decidí*
comiste	*decidiste*
comió	*decidió*
comimos	*decidimos*
comisteis	*decidisteis*
comieron	*decidieron*

LEER 3 Find these verbs in Louise's letter.

- a I ate
- b I drank
- c he didn't understand
- d I decided
- e I met

Frases clave 104

Estuvo genial.
Fue fantástico.
Lo pasé bomba.
Lo mejor fue…
¡Qué guay!

4 Escucha a Carlos y a Fátima. ¿Quién dice qué (a–j)? Escribe **C** o **F**.

- a En España hace buen tiempo.
- b Fueron a la playa.
- c En Inglaterra van a ir a la piscina.
- d Comieron helados.
- e Quiere ir de compras.
- f Nadaron y jugaron.
- g No van a ir a la costa.
- h Quiere visitar la ciudad.
- i En Inglaterra hace mal tiempo.
- j Quiere ir a Londres.

Reto Louise has made a few mistakes. Check the verbs in her email and write it out correctly.

Querida Fátima,
Te escribo porque el fin de semana fue a Londres a visitar el Museo Británico con unos amigos. Fuisteis en tren. Fue fantástico. Mis amigos decidiste ir de tiendas, pero yo preferimos pasar todo el día en el museo. Comimos en la cafetería del museo y compré un libro en la tienda del museo. Mis amigos comió hamburguesas y compraron ropa. Me gustaría mucho visitar Londres contigo. **Louise**

Entre amigos

En mi colegio no hacemos intercambios con España, pero nos escribimos por carta con los alumnos de un colegio de Chile. Escribimos en clase sobre un tema: mi familia, mi colegio, Inglaterra..., y la profesora envía las cartas a Chile. También recibimos cartas de Chile sobre un tema similar. A veces escribimos en inglés y a veces en español. El problema es que los temas son aburridos. Me gustaría más escribir cartas personales, o tener correspondencia por correo electrónico.

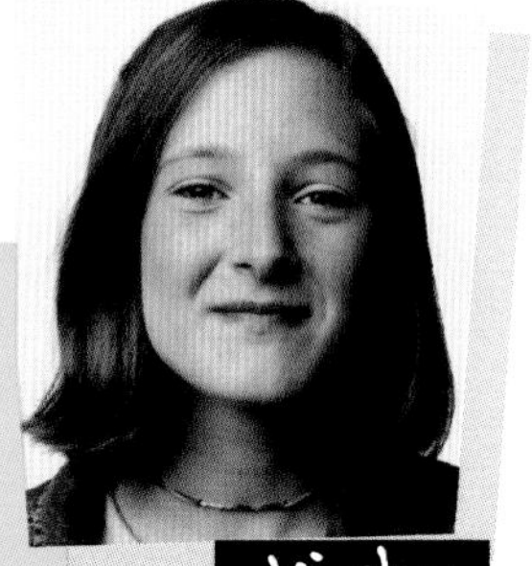

Mi colegio tiene una página web donde el grupo de español escribe mensajes que el profesor puede corregir. Luego los alumnos de un colegio español los leen y responden. Necesitan un código secreto para acceder a la página web, que es protegida. Me parece interesante porque además en esta página web se pueden poner fotos o vídeos, pero es un poco complicado para mí.

Cada alumno de mi clase tiene un amigo por correspondencia español y nos mandamos mensajes por correo electrónico. Mi amiga se llama Isa, y no me escribe muy a menudo. Prefiere chatear en el Messenger. Isa habla inglés muy bien, y yo no puedo practicar el español porque siempre nos escribimos en inglés.

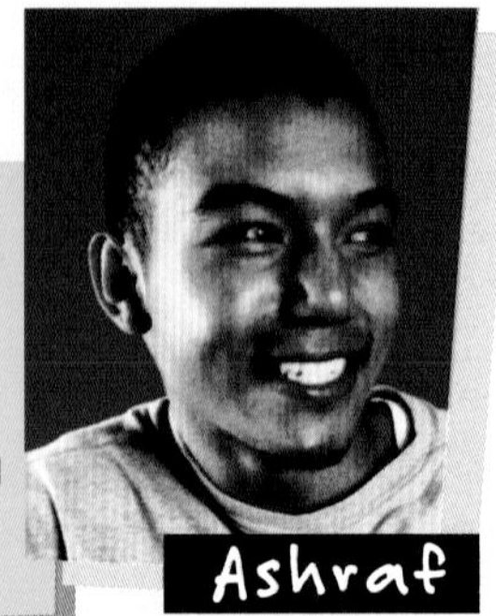

El año pasado hicimos una sesión de vídeo-conferencia con una escuela internacional de México. Preparamos una presentación sobre nuestro colegio. Los alumnos mexicanos hicieron una presentación sobre su país y su historia. Fue muy interesante.

Liam

Tengo un amigo en España que se llama Jorge, y nos escribimos con regularidad. En verano estuve en su casa, y el año próximo Jorge me va a visitar aquí. Él me escribe en inglés y yo le escribo en español o en inglés. Nos escribimos cartas y a veces él me envía un CD con música en español.

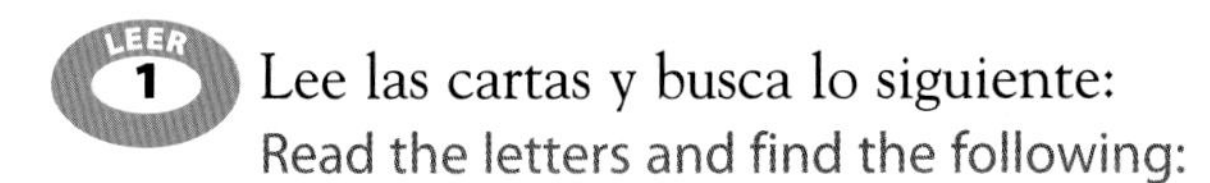

1 Lee las cartas y busca lo siguiente:
Read the letters and find the following:

- **a** All the languages and countries.
- **b** Any words to do with school: teacher, pupil, class, school…
- **c** Words to do with communicating: writing, talking, sending…
- **d** Any words to do with computers.
- **e** Any people who are mentioned.

2 ¿Quién?
Who…

- **a** Has had links with a school in Latin America? (2 people)
- **b** Sometimes writes in English, sometimes in Spanish? (2 people)
- **c** Isn't happy with their situation? (2 people)
- **d** Would like to do more using the computer? (2 people)
- **e** Already communicates by computer? (3 people)
- **f** Has a personal penfriend, not through school?
- **g** Gives the letters to the teacher to post?
- **h** Has a penfriend arranged through school, but can send them personal emails?
- **i** Communicates with a whole group, not an individual? (2 people)

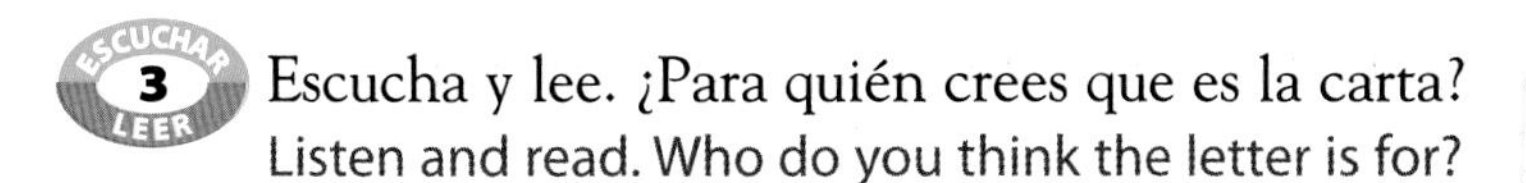

3 Escucha y lee. ¿Para quién crees que es la carta?
Listen and read. Who do you think the letter is for?

Hola,
Te voy a hablar de mi ciudad. Se llama Arica y está al norte del país, entre las montañas y el océano Pacífico. En las montañas hubo una batalla famosa con el Perú. Ahora, en junio, es invierno. Hace frío y se puede practicar el esquí. Escríbeme sobre tu ciudad.
Un saludo,
Javier

4 Con tu compañero/a. Da detalles en inglés sobre uno de los textos de la página 98. ¿De cuál se trata?
In English, pick out details from one of the texts on page 98. Your partner has to say which one you are talking about.

5 Escribe en inglés sobre los distintos tipos de amigo por correspondencia que hay. Utiliza la información de la página 98, pero da también tu opinión.
Write in English about the different sorts of penfriend. Use the information from page 98, and include your own opinions.

LEER 1 Read these two paragraphs. Copy and complete the table. Write A or B, depending on which paragraph best fits each description.

A El fin de semana me gusta ir a la playa. Me gusta jugar al fútbol. También me gusta ir al parque. Me gusta montar en bicicleta. Me gusta ir al cine. Me gusta ver una película.

B Si hace sol, el fin de semana me gusta ir a la playa. Me encanta ir con mis amigos, porque puedo jugar al fútbol. El sábado pasado jugué con ellos. Si voy con mi familia prefiero nadar, sobre todo si hace sol. Por ejemplo, este fin de semana, si hace sol, me gustaría ir a Brighton.

Repetitive	
Variety	
Opinions	
Opinions and reasons	
Examples in past and future	
Connectives	
Lots of different ideas	
Concentrates on developing one idea	
I think the best one is	

sobre todo **especially**

Build your writing around opinions. Then justify those opinions and give examples in the past or future.

For example: *Me gusta ir a la playa porque puedo jugar al fútbol, por ejemplo, el fin de semana pasado fui con mi familia.*

ESCRIBIR 2 Choose from these pictures to change the words that are underlined in the example above.

Make your own writing different from the model by demonstrating different ways of saying things.

For example: *<u>Prefiero</u> ir a la playa porque <u>me encanta</u> jugar al fútbol, por ejemplo, el fin de semana pasado <u>jugué</u> con mi familia.*

3 Use some of these verbs to make your sentence different.

Verbo + infinitivo

me encanta	prefiero
odio	tengo que
no tengo que	voy a
espero poder	tengo ganas de
quiero	me gustaría

Verbos en el pasado

jugué	fui
vi	nadé
monté	compré

Give different details to make your writing sound more individual.

For example: *Me gusta ir a la playa <u>con mi hermano cuando hace sol</u> porque puedo jugar al fútbol. Por ejemplo, me gustaría ir un fin de semana, <u>porque no tengo que ir al colegio</u>.*

4 Add detail to your sentence using the following ideas or your own.

en las vacaciones | si... | porque... | cuando...

el fin de semana | pero... | por ejemplo...

5 Now follow the steps to write about the other pictures in exercise 2. You should end up with 3 paragraphs. Each should developone idea, and be different from the others.

LEER 1 Escoge el verbo correcto para completar las frases.

- **a** ✻✻✻ a España el año pasado.
- **b** Me ✻✻✻ en casa de una familia española.
- **c** El fin de semana me ✻✻✻ a una fiesta.
- **d** El lunes fui al colegio y ✻✻✻ el español.
- **e** ✻✻✻ en el colegio.
- **f** En junio los españoles van a ✻✻✻ a Inglaterra.

comí | invitaron | fui | ir | alojé | estudié

HABLAR 2 Con tu compañero/a. Habla de tu visita a España. Utiliza los dibujos.

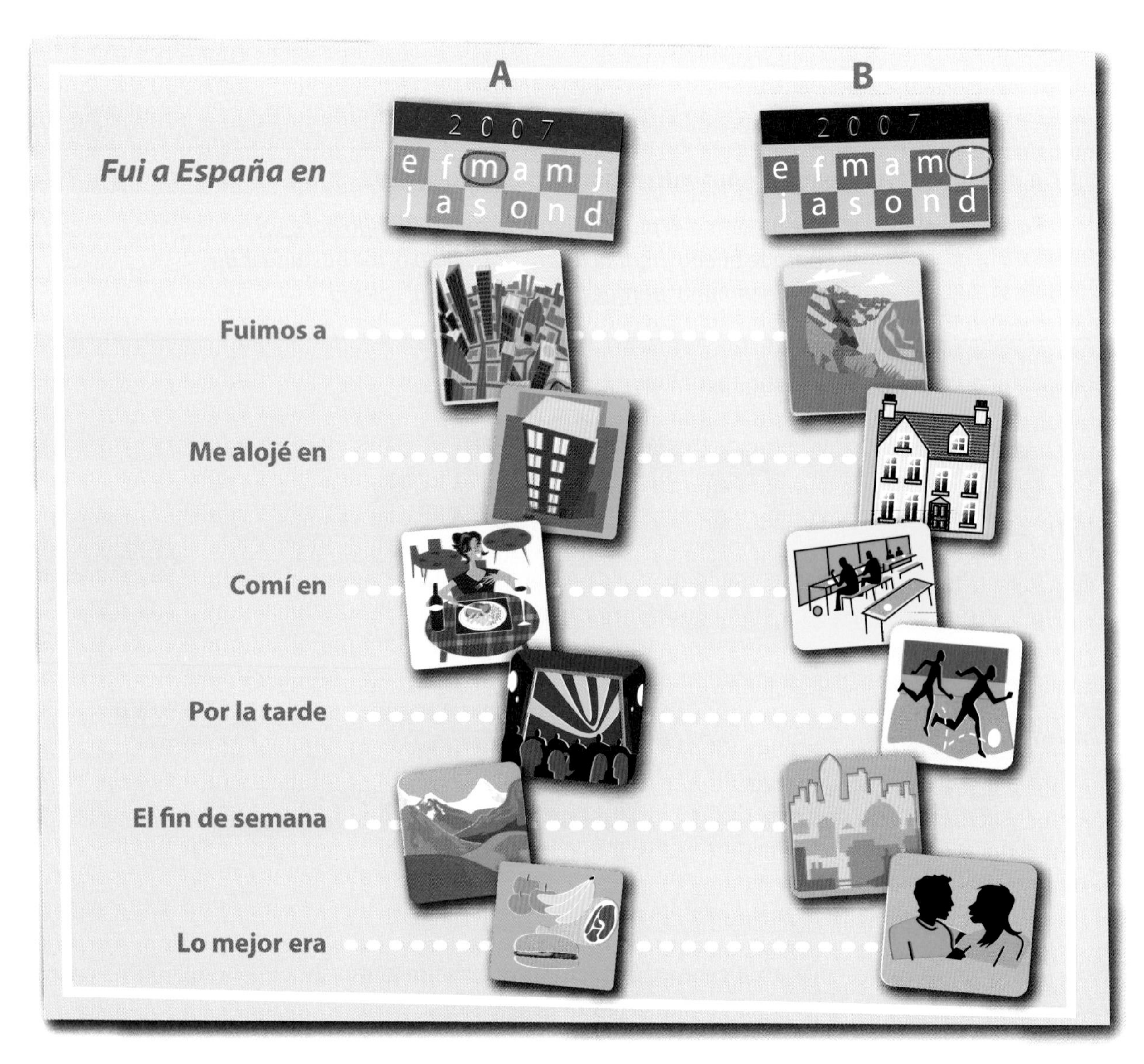

Escucha y lee. Escribe el programa de visita del intercambio.
Listen and read. Fill in the programme of visits for the exchange.

lunes	martes	miércoles	jueves	viernes

a visitar una universidad histórica

b ir de compras

c hacer deporte

d pasar el día en el colegio

e hacer una discoteca en el colegio

f visitar un estadio famoso

g ir a un parque temático

h ir a la capital

Llegamos el lunes por la tarde y nos invitaron a una fiesta, pero no bailé mucho.

El martes era fantástico. Fuimos a Oxford. Por la mañana visitamos uno de los 'colleges', y por la tarde fuimos a las tiendas.

El miércoles nos quedamos en el colegio, y fuimos a varias clases diferentes, como matemáticas, inglés. Era difícil, porque no hablo muy bien inglés. En educación física jugamos al baloncesto. Ingleses contra españoles. ¡Estuvo genial!

El jueves fuimos a un parque temático que se llama Chessington, Parque de Aventuras. ¡Qué guay!

El viernes fuimos a Londres y visitamos White Hart Lane. Pasamos el fin de semana con la familia, y el lunes volvimos a España.

Con tu compañero/a, sugiere los lugares que puedes visitar en tu región con un visitante español.
Discuss with a partner where you could go with Spanish visitors in your area.

Me gustaría… Puedes… Prefiero… Hay que… Vamos a… Me gusta…

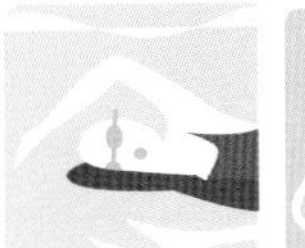

la pista de hielo **ice rink**

5 Copia y completa el texto para ti.

Quiero ir de intercambio a España porque quiero ✻✻✻. Quiero alojarme en casa de una familia española porque ✻✻✻. Voy a comprar unos regalos: ✻✻✻ para ✻✻✻ y ✻✻✻ para sus padres. Quiero visitar ✻✻✻ y ✻✻✻. Quiero comer ✻✻✻ y quiero ✻✻✻.

El intercambio	*The school exchange*
hablar español	*to speak Spanish*
hacer nuevos amigos	*to make new friends*
comer platos españoles	*to eat Spanish food*
escuchar música española	*to listen to Spanish music*
ver la televisión en español	*to watch Spanish television*
dormir en casa de una familia española	*to stay with a Spanish family*
ir al colegio en España	*to go to school in Spain*
viajar en avión	*to travel by plane*
ir a España	*to go to Spain*
escapar de mi familia	*to escape from my family*

Adjetivos	*Adjectives*
feo/a	*ugly*
guapo/a	*good-looking*
joven	*young*
viejo/a	*old*
alto/a	*tall*
bajo/a	*short*
gordo/a	*fat*
delgado/a	*thin*
grande	*big*
pequeño/a	*small*
activo/a	*active*
afectuoso/a	*affectionate*
cariñoso/a	*affectionate*
divertido/a	*fun*
organizado/a	*organized*
serio/a	*serious*
simpático/a	*nice*
eficiente	*efficient*
impaciente	*impatient*
inteligente	*intelligent*
deportista	*sporty*
trabajador(a)	*hard-working*

Regalos	*Presents*
un bolígrafo	*a pen*
una camiseta	*a T-shirt*
un CD	*a CD*
un ipod	*an ipod*
un móvil	*a mobile phone*
una planta	*a plant*
un libro de cocina	*a recipe book*
una revista	*a magazine*
un yoyó	*a yo-yo*
unas zapatillas de deporte	*a pair of trainers*

Las tareas	*Jobs*
cocinar	*to cook*
colgar globos	*to put up balloons*
comprar flores	*to buy some flowers*
comprar un regalo	*to buy a present*
hacer la cama	*to make the bed*
ir a la biblioteca	*to go to the library*
lavar la ropa	*to wash the clothes*
lavar los platos	*to wash up*
limpiar la casa	*to clean the house*
preparar la casa	*to get the house ready*
preparar el desayuno	*to get breakfast ready*
sacar la basura	*to put the rubbish out*
sacar las cajas	*to take out the boxes*
tirar las zapatillas de deporte malolientes	*to throw out the smelly trainers*

Obligación	*Obligation*
Necesito…	*I need to…*
Tengo que…	*I have to…*
Debería…	*I ought to…*
Hay que…	*It is necessary to…*
Hace falta…	*It is necessary to…*

Expresiones de tiempo	*Time phrases*
por la mañana	*in the morning*
por la tarde	*in the afternoon/evening*
ahora	*now*
luego	*then, next*
después	*afterwards*
todavía	*still*

Adverbios	*Adverbs*
normalmente	*normally*
generalmente	*generally*
realmente	*really*
rápidamente	*quickly*
desafortunadamente	*unfortunately*
bien	*well*
mal	*badly*

Opiniones	*Opinions*
Estuvo genial.	*It was great.*
Fue fantástico.	*It was fantastic.*
Lo pasé bomba.	*I had a great time.*
Lo mejor fue…	*The best thing was…*
¡Qué guay!	*It was cool!*

I know how to…

- talk about personality and appearance: *Es serio. Es impaciente. Es guapa. Es delgado.*
- talk about buying presents for different people and give reasons: *A tu hermano le voy a comprar un libro porque es serio.*
- use indirect object pronouns: *Le compré una planta.*
- write a letter to introduce myself to a Spanish friend: *Hola, soy Louise. Vivo… Tengo…*
- say what I need to get done: *Necesito… Tengo que…*
- talk about when things are going to happen: *Por la mañana, luego, después…*
- ask what a visitor needs: *¿Necesitas dormir? ¿Quieres un vaso de agua?*
- discuss what people want to do: *¿Quieres…? ¿Prefieres…? ¿Qué haces…?*
- recognize adverbs: *normalmente, rápidamente, bien, mal…*
- express opinions about a past event: *fue fantástico, estuvo genial*
- Use the preterite tense of regular *-er* and *-ir* verbs: *comí, decidí*
- refer to past and future events: *Fuimos a la playa. Vamos a ir a la piscina.*

Adelante

Write a letter to a penfriend to introduce yourself and say what you like to do in your free time.

Write an email to tell a penfriend what you want to do when they visit, using *quiero, vamos a, me gustaría*.

Write an article for the school magazine about an exchange visit to Spain. Say what you did and what you thought of it. Mention what you are going to do on the return visit.

LEER **1** Busca seis alimentos y bebidas en esta serpiente hambrienta.
Find six foods or drinks in this word snake.

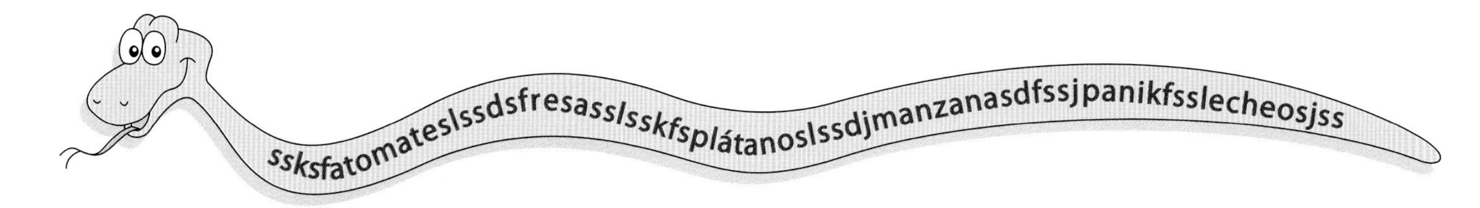

ESCRIBIR **2** Haz una serpiente hambrienta para tu compañero/a.
Make up a word snake for your partner.

LEER **3** Empareja las frases con los dibujos.
Match up the sentences with the pictures.

1 **Una bolsa** de gatos.
2 **Una botella** de ojos.
3 **Un paquete** de amigos.
4 **Un trozo** de elefante.
5 **Una lata** de profesores.

a b

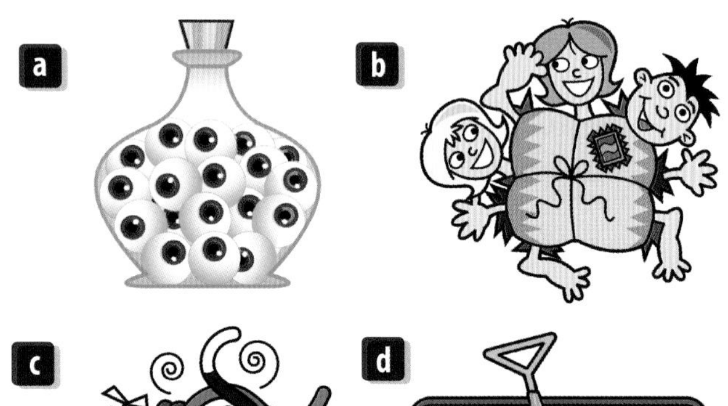

c

d

e

ESCUCHAR **i4** Escucha. Copia y completa el diálogo.
Listen. Copy and complete the dialogue.

– ¿Qué desea?
– ¿Tiene ✻✻✻?
– Sí.
– Quiero ✻✻✻.
– Aquí tiene. ¿Algo más?
– ¿Tiene ✻✻✻?
– Lo siento, no tengo.
– ¿Cuánto es?
– ✻✻✻ euros.

HABLAR **5** Haz el mismo diálogo, utilizando los dibujos.
Do the same dialogue, using the pictures.

1  ✓ 2 kilos  ✗ 2€

2  ✓ 2 litros  ✗ 2.50€

1 Escucha. Apunta el orden en que se mencionan los ingredientes.

Ejemplo: 1 e

Look up any words you don't know before you start.

a 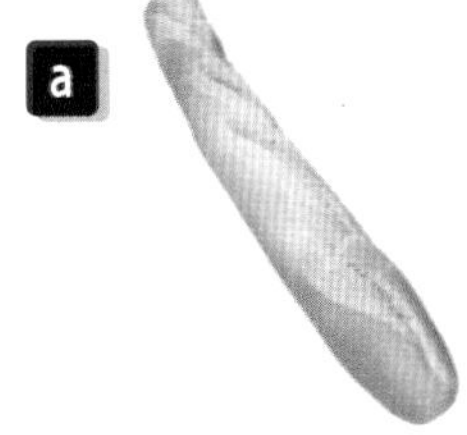 b  c 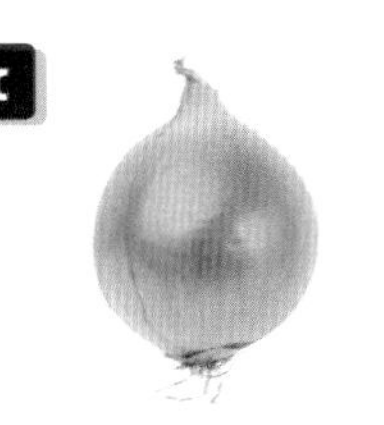 d  e  f 

g 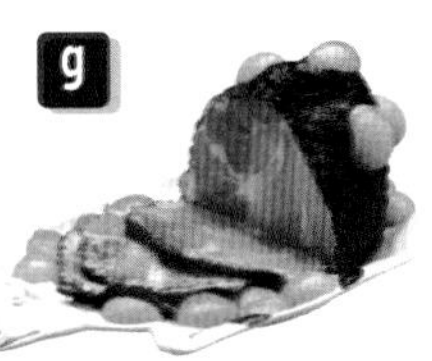 h 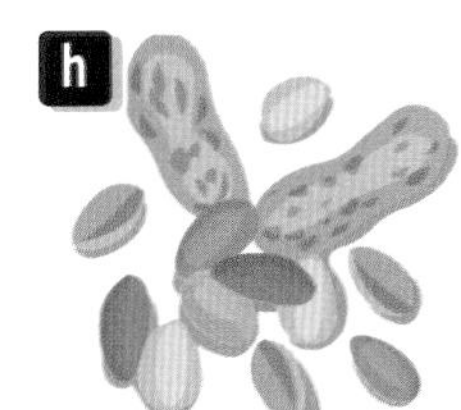 i  j  k 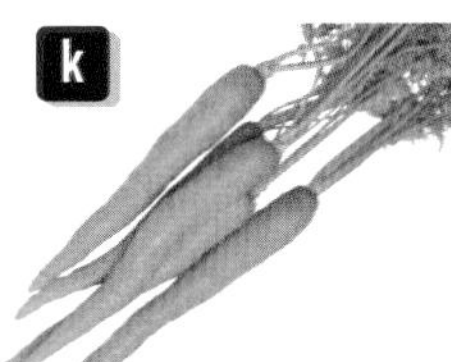 l 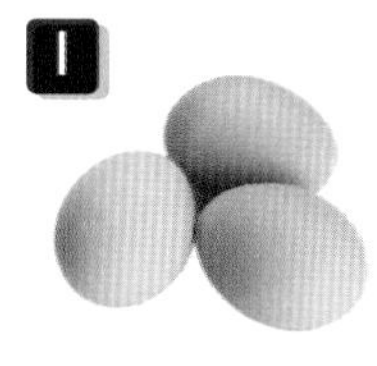

m 

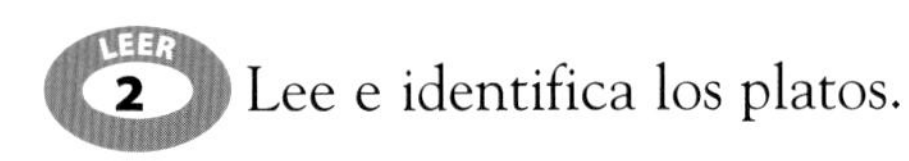

2 Lee e identifica los platos.

a Es una especialidad italiana. Está hecha de pasta, tomates y carne. Se sirve caliente y con queso parmesano.

b Es una especialidad francesa. Se hace con huevos, harina y leche. Se sirve con limón y azúcar.

c Es típico de la India. Está hecho de verduras o carne. Es muy picante. Se sirve con arroz.

d Es típico del Japón. Se hace con pescado crudo, arroz y algas. Se sirve frío.

3 Explica estos platos ingleses a un español.

Ejemplo: Está hecho/a de… Se sirve…

Ploughman's lunch | Shepherds' pie | Toad in the hole

4 Haz una versión más sofisticada de este diálogo.

¿Qué desea?
Quiero un bocadillo de jamón y un café.
¿Algo más?
No, gracias.
Aquí tiene.
¿Cuánto es?
Un euro con cincuenta.

¿Qué tipo de…?
¿Algo para comer?
¿Algo para beber?
¿Y de postre?
Para mí…
No me gusta…
¿Tiene…?
Hay…
Lo siento.
No tengo…
Enseguida…
¡Que aproveche!
La cuenta, por favor.

ESCUCHAR 1 Escucha y aplasta al mosquito.

Listen and squash the mosquito that is biting the giant. Put a coin on the giant. When you hear a part of the body mentioned, move the coin onto it.

LEER 2 Identifica a los extraterrestres. Hay un dibujo de más.

Identify the aliens. There is one picture too many.

1. Tiene tres ojos muy grandes, dos brazos y una oreja. Tiene pelo en el estómago.
2. Tiene dos pies, un estómago grande, tres ojos y dos orejas.
3. No tiene nariz, tiene una boca enorme y mucho pelo.
4. Es horrible. Tiene tres brazos con manos de gorila. Tiene orejas muy grandes y tres pies.

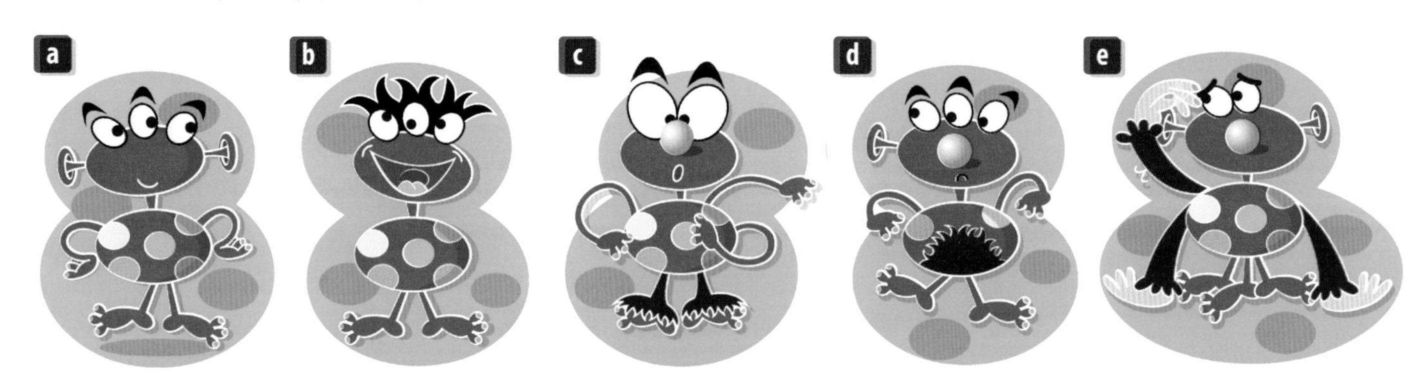

ESCRIBIR 3 Cambia la primera descripción para describir al extraterrestre restante.

Change the first description to describe the remaining alien.

HABLAR 4 Con tu compañero/a. Haz estos diálogos.

Do these dialogues with your partner.

a

– ¿Qué te pasa?

– Me duele la

– Necesitas una

b

c

dos

Escoge la palabra o expresión apropiada.

- **a** *** los ojos.
- **b** *** el pie.
- **c** *** gripe.
- **d** *** constipada.
- **e** No *** comer nada.
- **f** *** una aspirina.
- **g** *** a ir al hospital.

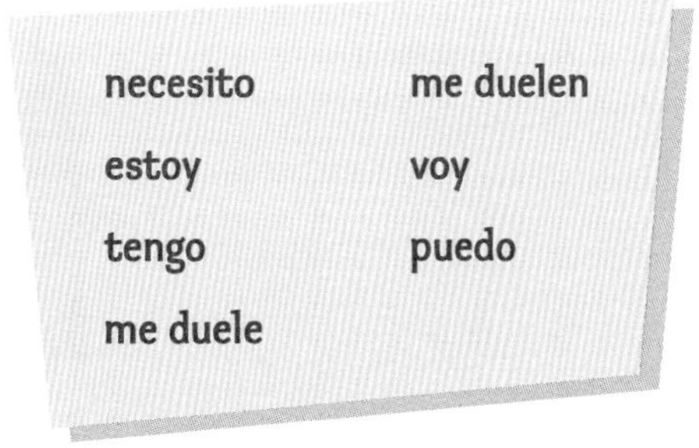

Traduce al inglés.

Me duele el pie. No puedo jugar al fútbol, pero tengo educación física. No quiero jugar pero el profesor dice que tengo que jugar si no tengo una nota. Necesito una nota de mi madre. Voy a ir a casa.

Escucha. Luego trata de poner el diálogo en el orden correcto.
Listen to the conversation without writing anything. Then try to put it back into the correct order.

- **a** – ¡Ay no, no quiero! Tengo que volver al parque temático.
- **b** – No, pero estoy mareada.
- **c** – Tienes que ir a ver al médico.
- **d** – Ay, es que me duele la cabeza.
- **e** – No, pero creo que voy a vomitar.
- **f** – ¿Te duelen los ojos?
- **g** – ¿Qué te pasa? ← Empieza aquí
- **h** – ¿Te duele el estómago?

Con tu compañero/a. Practica el diálogo.

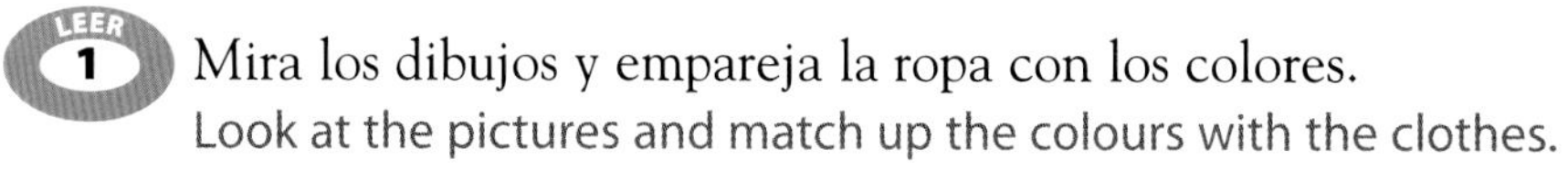

1 Mira los dibujos y empareja la ropa con los colores.
Look at the pictures and match up the colours with the clothes.

a	dos camisetas	1	marrones
b	una falda	2	rojas
c	unas botas	3	verde
d	un chándal	4	negras
e	dos zapatos	5	azul

2 ¿Qué llevan estas personas? Busca el error en cada texto y corrígelo.
What are these people wearing? Find the mistake in each text and correct it.

Ejemplo: **1** Ana lleva una camisa blanca, una falda azul y botas amarillas. ➜ negras

1

Ana lleva una camisa blanca, una falda azul y botas amarillas.

2

Roberto lleva una camiseta roja, vaqueros y zapatillas de deporte blancas.

3

Doña Laura lleva una chaqueta rosa, una falda blanca y zapatos rojos.

4

Mario lleva un chándal verde, zapatillas de deporte negras y una camiseta blanca.

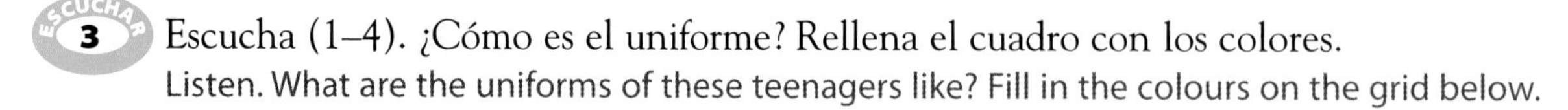

3 Escucha (1–4). ¿Cómo es el uniforme? Rellena el cuadro con los colores.
Listen. What are the uniforms of these teenagers like? Fill in the colours on the grid below.

4 Escucha otra vez. ¿La opinión es positiva (😄) o negativa (☹)? ¿Por qué? Escribe los adjetivos en el cuadro.
Listen again. Are the opinions positive or negative? Fill in the adjectives on the grid.

	Colores	😄	☹	Adjetivos
1	azul y blanco	✓		cómodo

5 Escribe tres frases sobre uniformes con la información de los ejercicios 3 y 4.
Write three sentences about uniforms, using information from exercises 3 and 4.

1 Lee el folleto de las rebajas de Sara. ¿Verdad (✔) o mentira (✘)?

¡Las rebajas de SARA son increíbles!

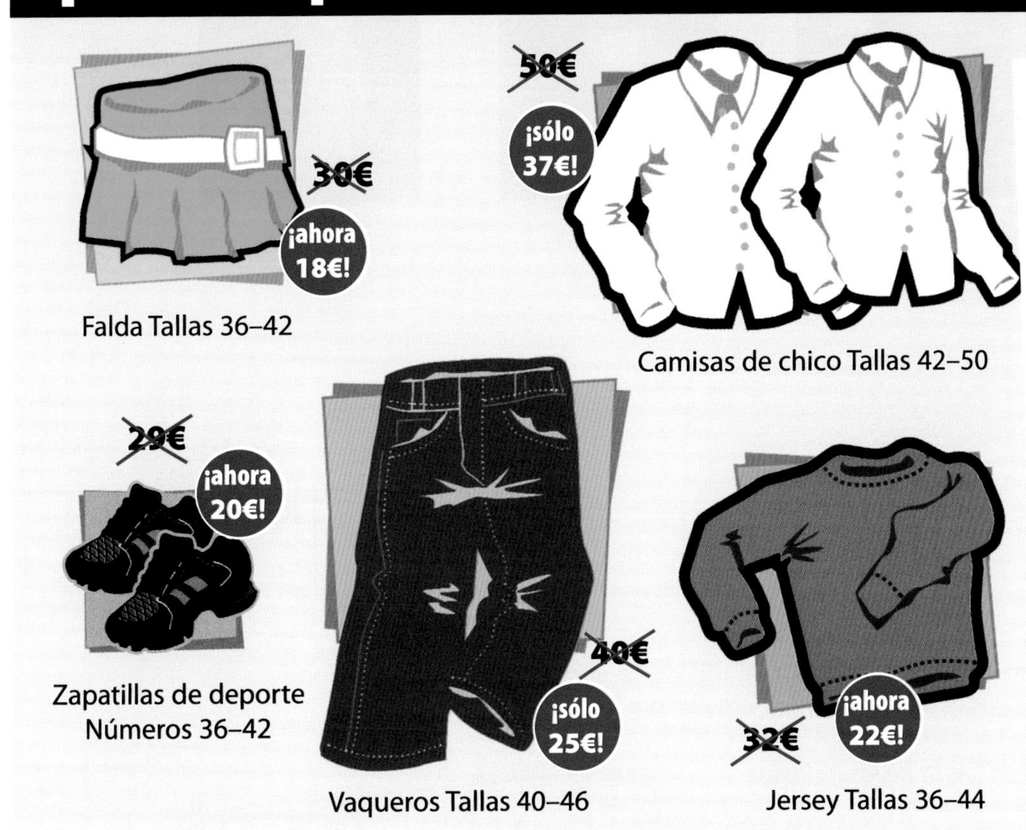

- **a** La falda es verde.
- **b** Hay jerseys de las tallas treinta y seis y cuarenta y ocho.
- **c** En Zara hay ropa para chicos y chicas.
- **d** Las camisas cuestan treinta y seis euros.
- **e** Las zapatillas de deporte son negras.
- **f** El jersey cuesta ahora diez euros menos.
- **g** La ropa más cara es la falda.

2 Cuatro chicos hablan de la ropa que llevan. Escucha y contesta en inglés.
What do they wear in their free time?

3 Escucha otra vez y empareja las fotos con las descripciones de los uniformes. ¿Les gustan o no?

1

2

3

4

4 Busca fotos de modelos en una revista y descríbelas.

1 Escucha y mira los dibujos. ¿Qué películas le gustan a Adolfo y cuáles no?
Listen and look at the pictures. Which films does Adolfo like, and which doesn't he like?

a 
b 
c 
d 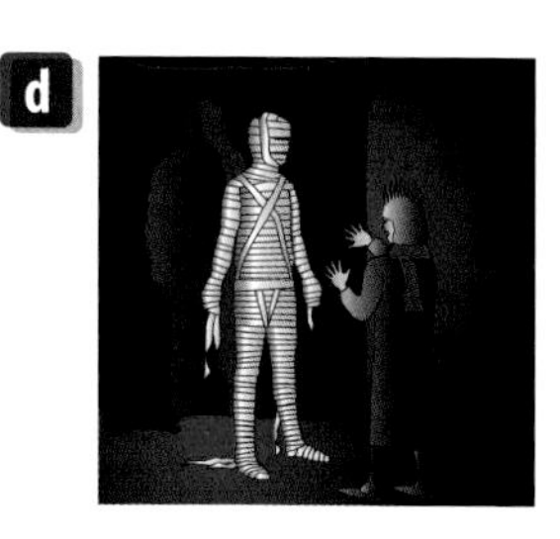
e 
f 

2 Escucha otra vez y escribe las razones.
Listen again and write down the reasons.

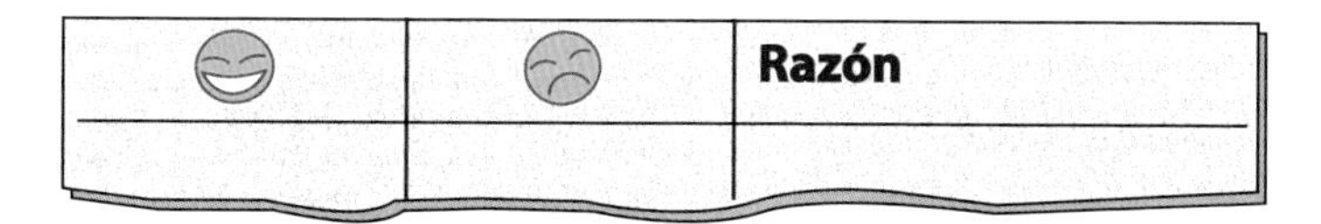

😊	☹	Razón

3 Completa la conversación con la información de la entrada del cine.
Complete the conversation with information from the cinema ticket.

- Una entrada para *La Guerra de las galaxias*.
- ¿Para qué sesión?
- Para la sesión de las ✻✻✻.
  ¿En qué sala es?
- En la sala ✻✻✻.
- ¿Cuánto es?
- ✻✻✻.

Cine Hollywood
La Guerra de las galaxias
17:30
Sala 5
4 euros

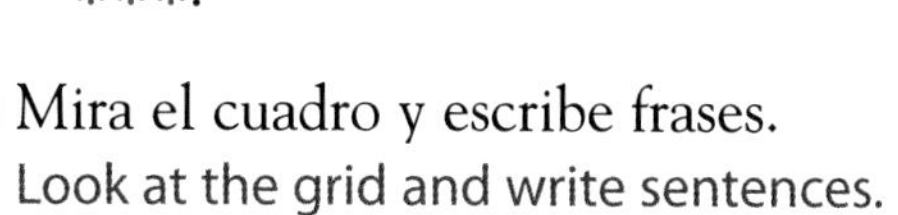

4 Mira el cuadro y escribe frases.
Look at the grid and write sentences.

Ejemplo: Me gustan los concursos porque son divertidos.

Me gustan		interesantes
Me encantan		emocionantes
No me gustan		divertidos/as
Odio		aburridos/as
Prefiero		tontos/as

dos

Dos amigos fueron al cine. Escucha y contesta a las preguntas en inglés.

- **a** What was the cinema like?
- **b** What showing did they go to?
- **c** Which screen was the film showing on?
- **d** How much was each ticket?
- **e** What kind of film did they see?
- **f** Did they like it?

Mira lo que ha hecho Miriam durante el día. ¿Verdad (✔) o mentira (✘)?

- **a** Miriam fue al parque a las cuatro y media.
- **b** Fue al cine a las seis y media.
- **c** Vio una película romántica.
- **d** Antes de ir a la discoteca, fue a tomar un helado.
- **e** Miriam fue al cine después de estar en el parque.
- **f** Miriam fue sola al bar.

Describe tu día. Utiliza los dibujos y las expresiones 'antes de'/'después de'.

1 Lee el correo electrónico de Jimena e indica qué dos palabras sobran en la descripción.
Read Jimena's email. Which two places shouldn't be mentioned in her description?

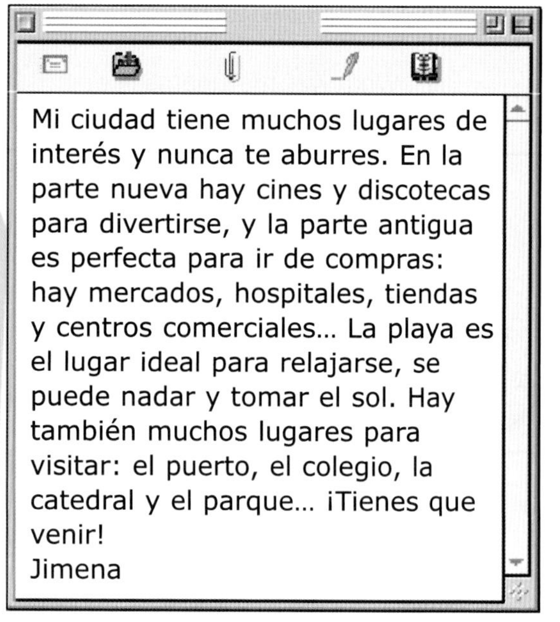
Mi ciudad tiene muchos lugares de interés y nunca te aburres. En la parte nueva hay cines y discotecas para divertirse, y la parte antigua es perfecta para ir de compras: hay mercados, hospitales, tiendas y centros comerciales… La playa es el lugar ideal para relajarse, se puede nadar y tomar el sol. Hay también muchos lugares para visitar: el puerto, el colegio, la catedral y el parque… ¡Tienes que venir!
Jimena

2 Empareja las preguntas y las respuestas. Luego escucha y comprueba. ¡Ojo! No están en orden.
Match up the questions and answers, then listen and check. Watch out: they are not in the same order on the recording.

a ¿Adónde fuiste?
b ¿Cómo fuiste?
c ¿Con quién fuiste?
d ¿A qué fuiste?
e ¿Cuánto tiempo pasaste allí?

1 Fui en barco.
2 Fui a practicar la vela.
3 Pasé allí tres semanas.
4 Fui con mi familia.
5 Fui a Menorca.

3 Completa las frases. ¡Ojo! Hay dos verbos de más.
Complete the sentences. Watch out: there are two verbs too many.

Las próximas vacaciones de Ernesto

a En mis próximas vacaciones me gustaría  a Cuba.

Ejemplo: Me gustaría ir en avión a Cuba.

b Me gustaría…  

c Me encantaría… 

d Tengo ganas de  entre dos palmeras.

e ¡Espero  por la noche!

- bailar
- tomar el sol
- alquilar
- bucear
- ir a la playa
- ver
- ir en avión

Escucha. ¿Verdad (✔) o mentira (✘)?

- **a** Bea enjoyed her holidays.
- **b** She went to Toledo to visit some friends.
- **c** There are monuments to see in Toledo.
- **d** Toledo is modern.
- **e** Next year, she would prefer another destination.

Lee las cartas de estos dos amigos. ¿Quién dice qué?

Qué vacaciones más aburridas... Fui al pueblo de mis padres. No hice nada porque el pueblo es pequeño y no hay nada: no hay piscina, no hay discotecas, no hay polideportivo... solamente hay un parque bastante bonito, pero ¡no es suficiente para divertirse tres semanas! Alquilé una bicicleta pero hacía demasiado calor, así que... me pasé todo el tiempo delante de la televisión. Fueron las peores vacaciones de mi vida. Me gustaría ir a la playa, ¡odio ir al pueblo!
Mateo

Fui de vacaciones a Altea, al sur de España. Fui sola en autobús, y después me alojé en casa de una amiga que vive allí. Hicimos muchas cosas porque Altea es muy interesante. Hacía mucho calor, y fuimos de día a la playa y por la noche de discotecas. Tomamos el sol todos los días y ¡estoy muy morena después de un mes allí! Espero volver a Altea en mis próximas vacaciones.
Nerea

- **a** ¡Fueron unas vacaciones perfectas!
- **b** ¡No hay nada de interés para hacer!
- **c** El tiempo no era adecuado para ir en bicicleta.
- **d** Estuve en la playa.
- **e** Viajé sola.
- **f** Fui de vacaciones con mi familia.
- **g** ¡Espero tener unas vacaciones diferentes el año próximo!
- **h** Tengo ganas de volver a visitar a mi amiga en mis próximas vacaciones.
- **i** Pasé allí un mes.

Escribe las preguntas a la carta de Mateo.

- **a** ¿***? Fui al pueblo.
- **b** ¿***? Fui con mi familia.
- **c** ¿***? No hay nada de interés, solamente un parque.
- **d** ¿***? No hice nada. Sólo alquilé una bici.
- **e** ¿***? Hacía mucho calor.
- **f** ¿***? Las próximas vacaciones, me gustaría ir a la playa.

Remember that all question words need an accent.

6 El intercambio *uno*

ESCUCHAR 1 Escucha. Copia y rellena el cuadro.
Listen. Copy and fill in the grid.

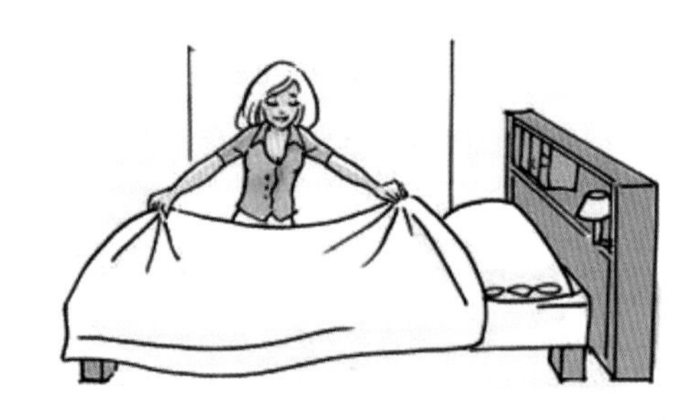

ir al mercado | pasear al perro | limpiar la casa | hacer la cama | cocinar | comprar flores

Needs doing before Karen arrives	Things to do when Karen gets here
a	

ESCUCHAR 2 Escucha otra vez para ver por qué la chica deja tres cosas para hacer al día siguiente.
Listen again. What are the reasons she gives for leaving three of the jobs until tomorrow?

ESCRIBIR 3 Copia y completa la página del la agenda. Utiliza el pretérito indefinido.
Copy and complete the diary page, using the details on the calendar pages . Use the preterite tense.

```
El lunes fui a España.

El martes *** la
ciudad.

El miércoles ***.

El jueves…
```

HABLAR 4 ¡A contrarreloj! ¿Cuántas frases puedes hacer en un minuto?
Use the grid to make up sentences about the activities you are going to do.
How many can you make in one minute?

El lunes	quiero	ir a la piscina	con mis amigos	¡Fantástico!
El martes	voy a	visitar un castillo	con mi amigo español	¡Qué guay!
El miércoles	vamos a	ir a la ciudad	con mi amiga española	¡Genial!
El jueves	puedo	ir de compras	con la familia de mi amigo	¡Qué pena!
El viernes	me gustaría	estudiar español	con el profesor de español	¡Es lo mejor!
El fin de semana	tengo que	comer en un restaurante	con el grupo de ingleses	¡Mi favorito!

ESCUCHAR 1 Escucha a Marga y apunta lo que hizo cada día en Inglaterra. Escucha otra vez y apunta su opinión. Escribe 😊 o ☹.

HABLAR 2 Con tu compañero/a, habla sobre un intercambio. Utiliza los dibujos.

Ejemplo: Cuando fui a España... Cuando fui a Inglaterra...

LEER 3 Empareja las dos partes de las frases.

- a Espero ir a
- b Tengo planeado ir a una ciudad donde
- c Me encantaría alojarme en casa de
- d Quiero ir en mayo
- e Quiero
- f Tengo que estudiar

1. cuando hace sol y puedo ir a la costa.
2. para aprender a hablar inglés.
3. Inglaterra en mayo.
4. una familia inglesa para practicar el inglés.
5. pueda visitar museos interesantes.
6. hacer muchos amigos ingleses.

ESCRIBIR 4 Escribe una versión detallada de esta visita en el pretérito indefinido.
Write a detailed description of this visit, using the preterite tense.

Who with? Weather? When? Opinions? Activities?

Fui a España.
Fui a la playa.
Fui al colegio.
Fui a la ciudad.
Fui a una fiesta.

cuando pero y por ejemplo porque entonces

ESCRIBIR 5 Describe una visita a Inglaterra. Utiliza como modelo lo que has escrito sobre España.

LEER 1 Empareja los ingredientes con el plato apropiado.
Match up the ingredients with the correct dish.

a agua, cebolla, pollo, sal

b pasta, carne, tomates, cebolla

c pan, mantequilla, jamón o queso

d huevos, patatas

la tortilla española | la sopa de pollo | los espaguetis a la boloñesa | un bocadillo

LEER 2 Lee el texto. Copia y rellena el cuadro en inglés.
Read the text. Copy and fill in the grid in English.

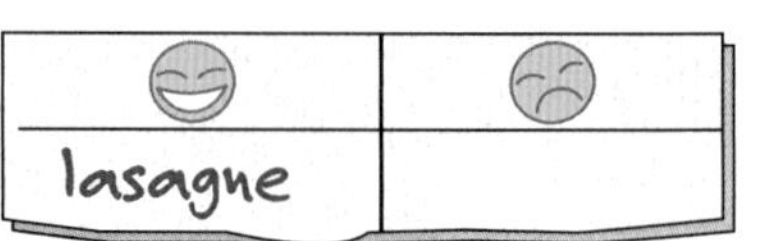

Mi plato preferido es la lasaña: es deliciosa. Pero no me gusta la pizza, porque no me gusta el queso. Me encanta la fruta, pero no como ensalada. Me gusta la comida rápida, sobre todo los perritos calientes. No me gusta el pescado, pero me gustan las patatas fritas. No me gustan las bebidas calientes, como por ejemplo el té y el café.

3 Escucha y lee. Escoge el dibujo correcto.
Listen and read. Choose the correct picture.

- ¿Qué desea?
- ¿Tiene bocadillos?
- Sí, tengo bocadillos de queso y de jamón.
- Pues, quiero dos bocadillos de jamón y uno de queso.
- ¿Y para beber?
- Un agua mineral, un café con leche y un zumo de naranja.

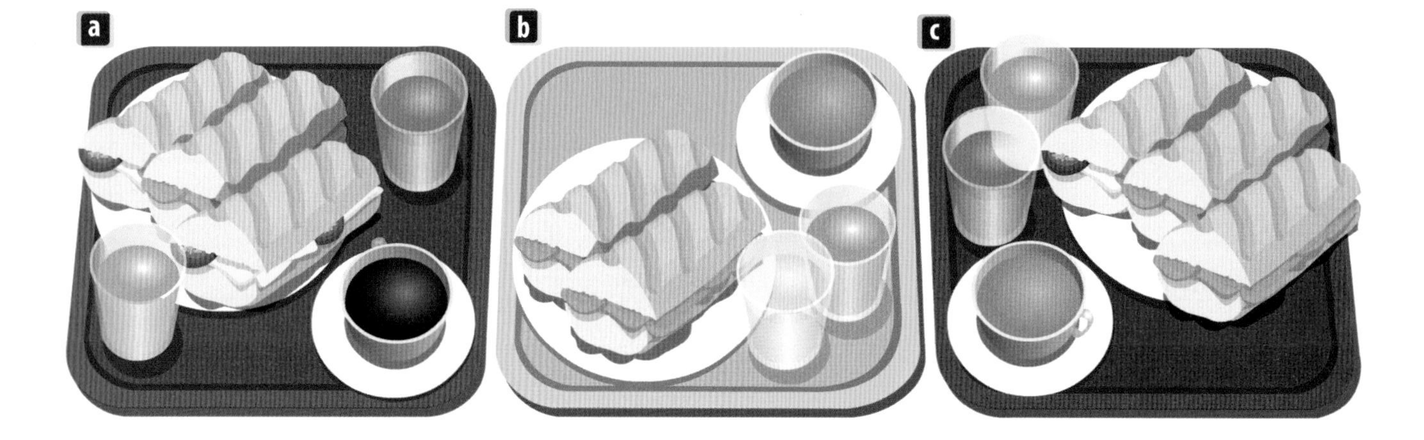

Lectura dos

Escucha y lee. Haz una lista de los ingredientes que compra esta persona. ¿Qué va a cocinar?

- ¿Qué desea?
- Quiero quinientos gramos de harina.
- Aquí tiene. ¿Algo más?
- Sí. Necesito media docena de huevos y mantequilla.
- ¿Es todo?
- No, también quiero chocolate y un paquete de azúcar.
- Aquí tiene.
- ¿Cuánto es?
- Tres euros.

Lee y contesta a las preguntas.

En mi casa comemos mucha comida española porque mi abuela es española. Por ejemplo, comemos tortilla, ensalada, fruta. Me gusta mucho el pescado, pero no con patatas fritas. Mi madre cocina muy bien, por ejemplo, me gusta la paella especial que hace para las fiestas. Mi padre sólo cocina en el cumpleaños de mi madre. Hace un pastel con fresas y natillas.

Keith

a What sort of food does Keith say he and his family eat?
b Why is this?
c What examples does he give?
d What does he say about fish?
e What does he say about his mum's cooking?
f When does his dad cook?
g What does his dad cook?

Lee los textos y mira las gráficas. ¿Quién es?

a
Es importante comer mucha fruta y verduras. Yo como a menudo una manzana o algo así. No como mucha carne, pero me gusta el pollo y el pescado. A veces como helado o pastel, pero nunca como caramelos.

b
Como mucha comida rápida, por ejemplo una vez por semana como hamburguesas y patatas fritas. También me encantan el melón y las fresas, sobre todo cuando hace calor. De postre prefiero comer fruta en lugar de algo dulce.

c
Me gusta mucho la pizza, con queso y tomate. Soy vegetariano, así que es mi plato favorito. No me gusta la fruta, excepto los plátanos. Me gustan los pasteles y los caramelos, y me encanta el helado. Bebo a menudo refrescos.

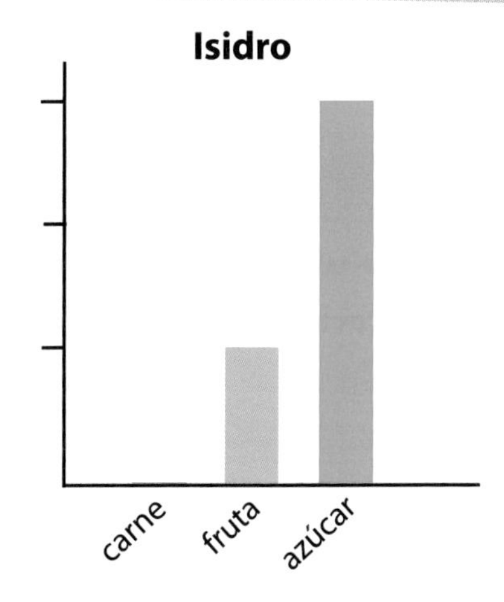

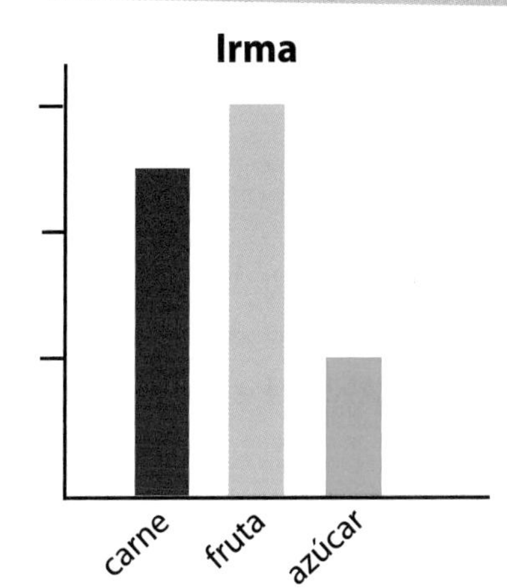

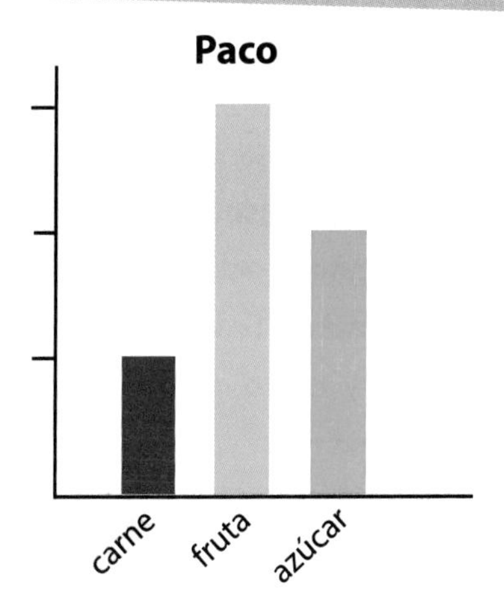

LEER 1 Empareja cada dibujo (a–f) con una cosa de la lista. ¿Qué falta?
Match up the contents of the first-aid kit (a–f) with the names on the list. Which items are missing?

- unas aspirinas
- el algodón
- el antiséptico
- unas tiritas
- el esparadrapo
- unas vendas
- unas pinzas
- una crema
- un termómetro

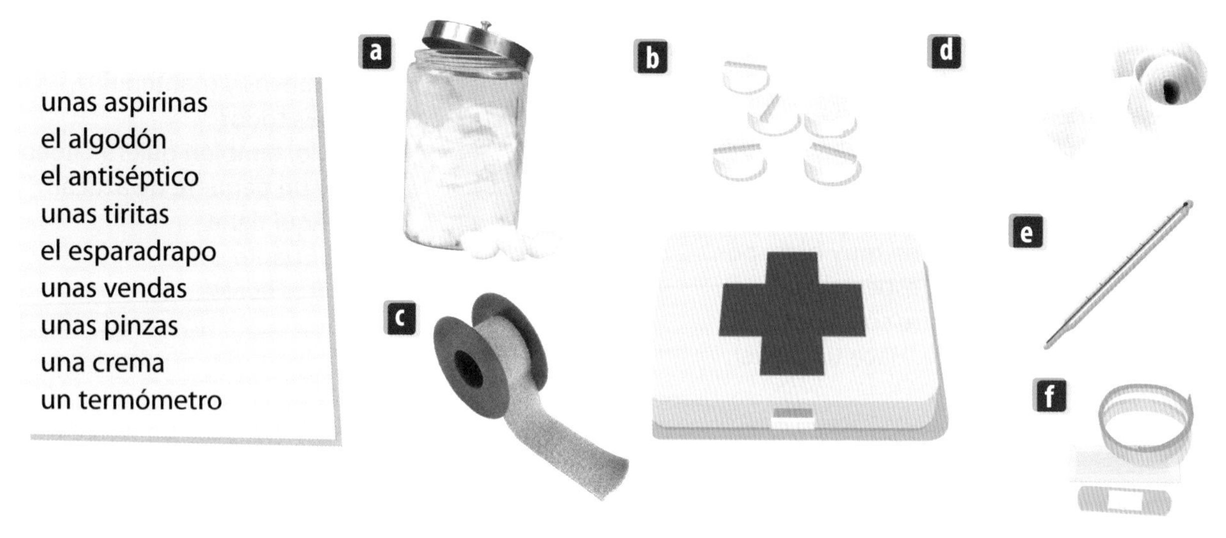

LEER 2 Empareja las frases con los dibujos.
Match up the sentences with the pictures.

a Me duele la cabeza. Necesito una aspirina.

b Tengo tos. Creo que tengo un resfriado.

c Me duele el estómago. No puedo comer más.

d Necesito una tirita. Me corté el dedo.

e Me duele la garganta. Necesito una pastilla.

1

2

3

4

5

LEER 3 Lee esta nota y haz una lista de los síntomas en inglés. ¿Cuál es el problema?
Read this note and make a list of the symptoms in English. What is the only problem with the note?

Señor Profesor,
No puedo ir al colegio. Me duele la cabeza y tengo tos, creo que tengo un resfriado. También me duelen los ojos, tengo dolor en la espalda, me corté el dedo y creo que tengo el brazo roto. ¡Ah! y tengo que ir al dentista.
Mi madre

Lectura dos

1 Haz frases.

a	Tengo	**1**	los pies.
b	Me duele el	**2**	encuentro bien.
c	Estoy	**3**	una venda.
d	Me duelen	**4**	espalda.
e	No me	**5**	estómago.
f	Necesito	**6**	tos.
g	Me duele la	**7**	enfermo.

2 Empareja cada problema con la causa apropiada.

a Me duelen las piernas, los brazos y la cabeza. Me corté las manos, y no tengo dientes.
b Estoy mareada, me duele la cabeza y tengo náuseas.
c Me duele el brazo. Necesito una crema.
d No puedo ir al colegio. Tengo tos y me encuentro muy mal.

1 Me caí al río y tengo un resfriado horrible.
2 Fui a comer al parque y ahora tengo muchas picaduras de mosquito.
3 Tuve un accidente en la calle – me caí de la bicicleta.
4 Fui a la playa con mi hermano. Creo que tengo una insolación.

3 Lee las causas, los síntomas y los remedios de la 'jovenitis' y explícalos en inglés.

Jovenitis

Si voy al colegio tengo dolor de cabeza. Cuando tengo que lavar los platos, me duele la espalda. Si tengo que preparar la comida puedo cortarme el dedo. Cuando viene mi tía de visita, me duele la garganta y no puedo hablar. Si llueve tengo que quedarme en la cama. Si como verduras me duele el estómago. Necesito dormir, escuchar música y comer chocolate.

LEER 1 Lee estas adivinanzas en voz alta y mira los dibujos. ¿Qué ropa es?
Read the riddles out loud and look at the pictures. Fill in the name of the missing item of clothing.

cubren they cover

a

Cubren las piernas
Y son marrones
Son grandes y muy cómodos
Se llaman ✻✻✻

(pantalones/jerseys/botas)

b

Es corta y rosa
Pero no es ajustada
No son unos pantalones,
Es una ✻✻✻

(camiseta/camisa/falda)

c

Un accesorio perfecto
Si hace sol
Se llama ✻✻✻
¡Quiero uno, por favor!

(chaqueta/abrigo/sombrero)

d

La camisa del colegio
es blanca y el ✻✻✻ azul
Mi uniforme es muy feo
¿Llevas uniforme, tú?

(zapatillas de deporte/jersey/chándal)

LEER 2 ¡Tu ropa ideal! Lee estos correos electrónicos y escribe la información en inglés.
Your ideal clothes. Read the emails and write the information in English.

What do they wear? What would they like to wear?

a
Normalmente llevo al colegio una camisa blanca y pantalones negros, pero me gustaría llevar vaqueros y una camiseta.
Gerardo

b
¡El uniforme de mi colegio es horrible! Las chicas llevamos una falda larga verde y una chaqueta verde también. Me gustaría llevar pantalones y zapatillas de deporte.
Rebeca

c
En mi colegio no hay normas estrictas y llevo la ropa que quiero todos los días: pantalones cómodos, botas, camisetas... pero me gustaría llevar uniforme. Es más fácil por la mañana.
Rodrigo

ESCRIBIR 3 Mira los dibujos y completa las frases.
Look at the pictures and complete the sentences.

a *Me gustaría llevar* estas *sandalias marrones.*

b *Me gustaría llevar ✻✻✻ sombrero rojo.*

c *Me gustaría llevar ✻✻✻ camiseta verde.*

d *Me gustaría llevar ✻✻✻ vaqueros azules.*

e *Me gustaría llevar ✻✻✻ jersey blanco.*

f *Me gustaría llevar ✻✻✻ botas azules.*

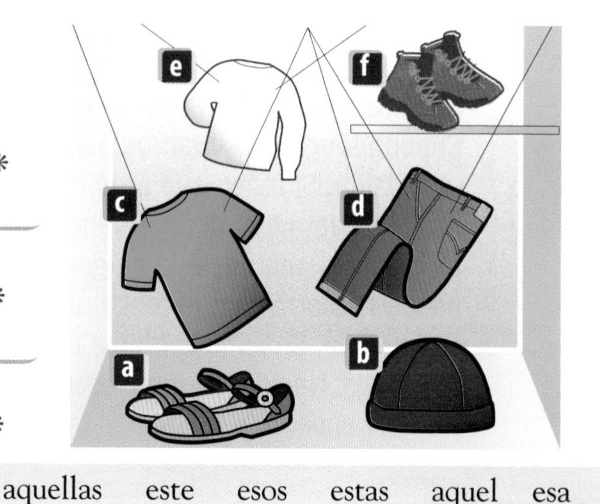

aquellas este esos estas aquel esa

Lectura **dos**

Lee las opiniones de estos amigos sobre su uniforme. ¿Quién dice qué?

¡Odio mi colegio! Tengo que llevar un uniforme muy feo y muy incómodo. Los chicos llevan pantalones grises, una camisa blanca y un jersey negro, y las chicas solamente podemos llevar falda, ¡odio las faldas! Me gustaría llevar vaqueros y zapatillas de deporte, o chándal, pero es imposible. Solamente podemos llevar chándal para practicar deportes…

Inés

Mi uniforme no es perfecto pero me gusta. Los chicos llevamos pantalones negros, una chaqueta verde y una camisa blanca cómoda. Las chicas llevan faldas o pantalones negros y camisa blanca. Mi colegio es estricto para los zapatos: no podemos llevar zapatillas de deporte con el uniforme, solamente con el chándal.

Borja

Who…

- **a** Doesn't like their uniform?
- **b** Is quite pleased with their uniform?
- **c** Goes to a school where the uniform is less strict?
- **d** Thinks that the girls' uniform is unfair?
- **e** Wears black trousers to school?
- **f** Would like to wear jeans?

ESCRIBIR 2 Escribe sobre tu uniforme. Utiliza los textos del ejercicio 1 como modelo.

¿Qué llevas para ir al colegio?

¿Te gusta tu uniforme?

¿Crees que tu colegio es estricto?

Empareja las dos partes de la conversación.

- **a** – Hola, buenas tardes. ¿Qué deseas?
- **b** – Muy bien. ¿Qué talla tienes?
- **c** – Aquí tienes.
- **d** – Sí, claro. ¿Te gusta?
- **e** – 20 euros.

1. – Me gusta mucho. ¿Cuánto cuesta?
2. – ¿Puedo probármela?
3. – Me la llevo.
4. – Quisiera comprar una camiseta.
5. – Tengo la talla pequeña.

LEER 1 Busca al intruso.
Find the odd-one-out.

a parque cafetería piscina playa película estadio
b divertido aburrido interesante restaurante emocionante
c telenovelas documentales anuncios series botas

LEER ESCRIBIR 2 Mira las entradas de cine y completa las conversaciones.
Look at the cinema tickets and complete the conversations.

Ejemplo:

a

– Hola, quisiera una entrada para *Shrek 2*.
– ¿Para qué sesión?
– Para la sesión de las cuatro y media. ¿En qué sala es?
– En la sala dos.
– ¿Cuánto cuesta?
– Cinco euros.

b

– Hola, quisiera una entrada para ✻✻✻.
– ¿Para qué sesión?
– Para la sesión de ✻✻✻. ¿En qué sala es?
– En la sala ✻✻✻.
– ¿Cuánto cuesta?
– ✻✻✻.

c

– Hola, quisiera una entrada para ✻✻✻.
– ¿Para qué sesión?
– Para la sesión de ✻✻✻…

ESCRIBIR 3 ¿Adónde y cómo fuiste? Mira los dibujos y completa las frases.
Where did they go and how did they travel? Look at the pictures and complete the sentences.

Ejemplo:

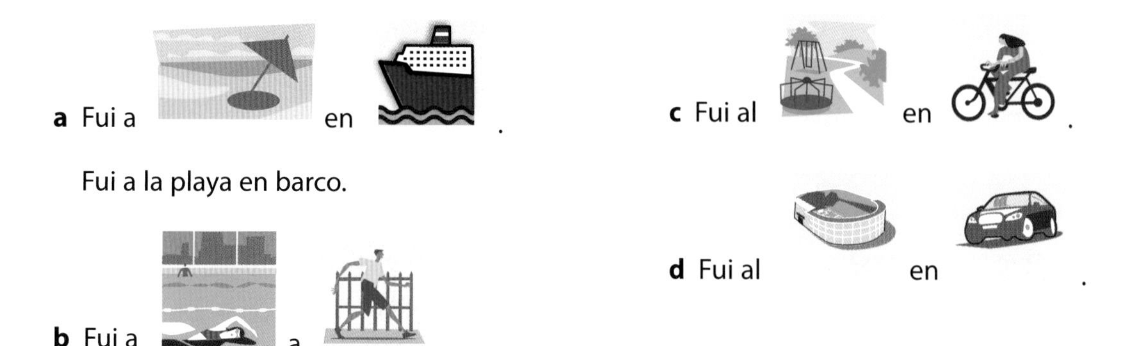

a Fui a … en … .
Fui a la playa en barco.

b Fui a … a … .

c Fui al … en … .

d Fui al … en … .

ESCRIBIR 4 Inventa frases. Utiliza las frases del ejercicio 3 como modelo. Da también tu opinión.
Make up three sentences. Use the sentences in exercise 3 as a model. Also give an opinion.

Ejemplo: Fui al parque en autobús. Era divertido.

Lectura **dos**

LEER 1 ¿Qué tipo de películas vieron los chicos? Escoge las respuestas.
¡Ojo! Hay dos tipos de película de más.

a El sábado por la tarde vi una película en el cine con mis amigos. Era una historia de amor entre un chico y una chica, pero tienen problemas… ¡Era aburridísima!

b El viernes vi una película horrible antes de salir con mis amigos. Era la historia de un vampiro que atacaba a sus víctimas a medianoche… Era violenta y ahora tengo mucho miedo…

c El domingo por la mañana vimos una película en mi casa. Era una historia muy aburrida de un vaquero y su caballo en Colorado…

d El lunes vi una película en el cine después de cenar en un restaurante. Era una historia para niños, muy divertida, sobre un pez que se llama Nemo y se escapa de casa… ¡Era genial!

e El fin de semana pasado vi una película en el cine. Era una historia muy emocionante de un monstruo gigante que llega a Nueva York…

una película de ciencia-ficción, una película romántica, una película del oeste, una película de terror, una película de acción, una película policíaca, una película de dibujos animados

LEER 2 Lee los textos del ejercicio 1 otra vez y busca:

a expresiones de tiempo.
b adjetivos positivos.
c adjetivos negativos.

LEER 3 Lee y completa el texto.

El fin de semana pasado, mis amigos y yo ✻✻✻ al cine a ver una película de terror. ✻✻✻ las películas de ciencia-ficción pero a mis amigos no les gustan. ✻✻✻ *La momia* – ✻✻✻ una película muy estúpida. Fue un sábado aburrido pero el cine ✻✻✻ nuevo y muy moderno. La semana próxima voy a ✻✻✻ mi película favorita ¡y no a escuchar a ✻✻✻ la opinión de mis amigos!

5 ¡Vámonos de vacaciones! Lectura uno

LEER 1 Escoge una frase para cada dibujo.
Choose a sentence for each picture.

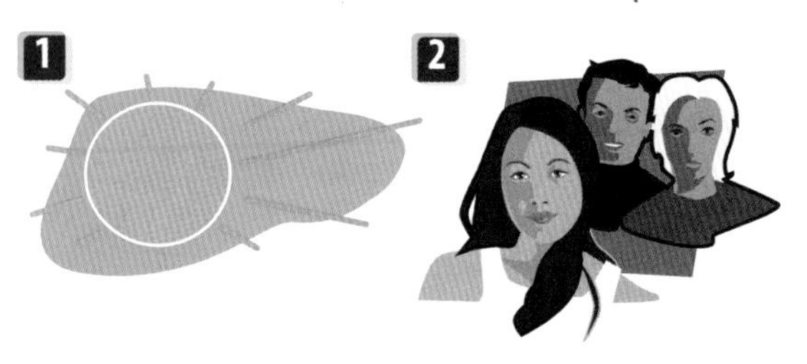

1 2

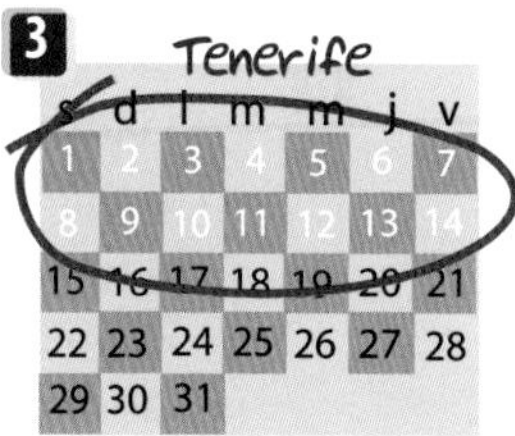

4

- **a** Fui a Tenerife para dos semanas.
- **b** Fui con mis padres.
- **c** Fui en ferry.
- **d** Me alojé en un hotel.
- **e** Hacía sol y calor.

LEER 2 Lee la carta y mira las fotos. ¿Qué tres cosas en la carta son mentira?
Read Miriam's letter and look at the photos of her holiday. Find the three mistakes in the letter.

a 11.8.

b 12.8.

c 13.8

d 14.8.

¡Hola Lucía!
Mis vacaciones con Pepe en Andorra fueron maravillosas. Fuimos a la montaña para cinco días. Fuimos en tren. El primer día hacía buen tiempo y el segundo día alquilamos una bicicleta y fuimos al campo. El 13 de agosto visitamos un mercado muy interesante y paseamos por las montañas... ¡Fueron unos días fantásticos!
Un abrazo,
Miriam

ESCRIBIR HABLAR 3 Entrevista a Pepe, el amigo de Miriam. Utiliza la carta de Miriam para escribir sus respuestas.
Write and then act out an interview with Pepe, Miriam's friend. Use Miriam's letter to write his answers.

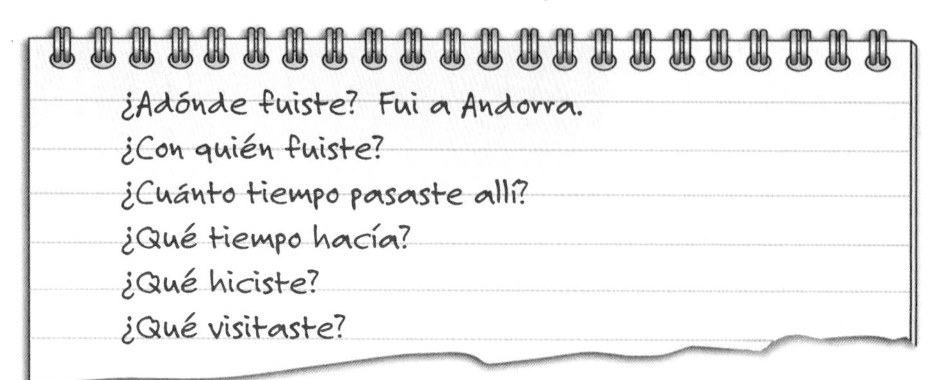

¿Adónde fuiste? Fui a Andorra.
¿Con quién fuiste?
¿Cuánto tiempo pasaste allí?
¿Qué tiempo hacía?
¿Qué hiciste?
¿Qué visitaste?

Lectura **dos**

1 Lee la historia de Rubén y contesta a las preguntas en inglés.

Normalmente, todos los años voy con mi familia a visitar a mis abuelos. Es muy aburrido porque siempre tengo que salir con mis hermanos pequeños y no hay chicos de mi edad, ¡no es justo! Pero este año fue diferente. Tomé el autobús a mediodía y fui a visitar a un amigo en Barcelona.
Me alojé en su piso durante una semana. Fuimos a la playa, visitamos los monumentos famosos y fuimos a las discotecas con sus amigos. La vida nocturna en Barcelona es fascinante. Pero… mis padres llamaron a mi móvil – hablé con ellos y ¡tengo que ir a casa de los abuelos desde Barcelona! Piensan que una semana en Barcelona es suficiente y que tengo que pasar tiempo con la familia. Me gustaría ser independiente, ¡tengo ganas de ser mayor y decidir mis vacaciones!

a How often does Rubén go to his grandparents'?
b Why doesn't he like going there?
c When did he take the coach?
d Where did he stay and for how long?
e What did they do in Barcelona?
f What did his parents say when they phoned?
g What would he like to do?

Entrevista a Rubén. Tú haces las preguntas.

¿Adónde fuiste estas vacaciones? Fui a Barcelona.
¿✻✻✻? Fui solo.
¿✻✻✻? Fui en autobús.
¿✻✻✻? Fui a visitar a un amigo.
¿✻✻✻? Hicimos muchas cosas: fuimos a la playa, a la discoteca…
¿✻✻✻? Barcelona es fascinante.
¿✻✻✻? Me gustaría ser independiente y decidir mis vacaciones.

1 Empareja las dos partes de cada frase.
Match up the sentence halves.

a	En España jugamos al	**1**	fiesta en mi casa.
b	En Inglaterra vamos a	**2**	tapas en un restaurante.
c	En España comimos	**3**	voleibol en la playa.
d	En Inglaterra vamos a hacer una	**4**	a un museo.
e	En España fuimos	**5**	en mi casa.
f	En Inglaterra vamos a visitar	**6**	una familia española.
g	En España me alojé en casa de	**7**	nadar en la piscina.
h	En Inglaterra mi amiga va a alojarse	**8**	un castillo.

2 Lee la descripción y escoge las cualidades de su amiga virtual ideal.
Read Jenny's description of herself, then choose from the options to create the ideal virtual friend for her.

No hablo muy bien español, pero quiero practicarlo con una amiga española. Soy trabajadora y me gusta estudiar. Me gusta comer y quiero probar platos españoles. No me gusta el calor pero sí nadar.

Jenny

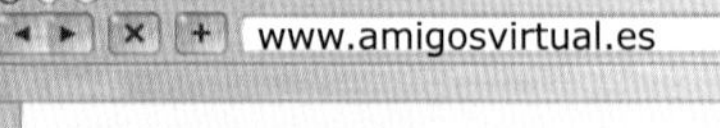

Amigos Españoles Virtuales

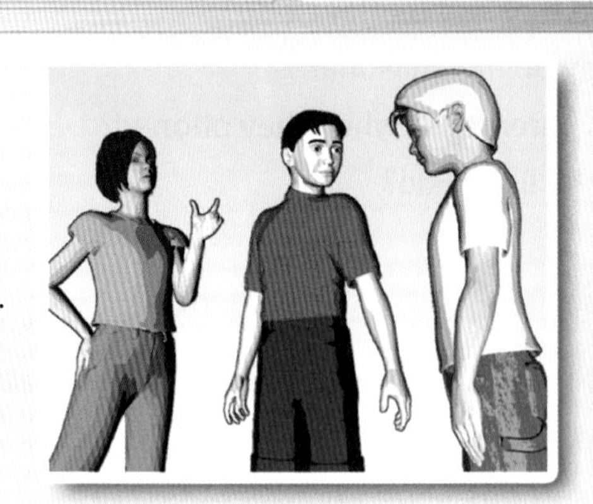

a No hablo inglés.
b Hablo un poco de inglés.
c Hablo inglés muy bien.

a Soy muy divertida pero no me gusta el colegio.
b Soy bastante seria, y me gusta leer.
c No me gusta nada. Estoy aburrida.

a No me gusta cocinar.
b Mi padre cocina muy bien.
c En casa comemos comida inglesa.

a Aquí hace mucho calor. Me gusta mucho.
b Tenemos una casa en la montaña, con una piscina.
c Aquí hace mucho calor, y a mí no me gusta.

Lectura **dos**

Lee el texto. Luego, copia y rellena el cuadro.

?Estamos organizando el programa de actividades de la visita a España. ¿Puedes darnos tu opinión sobre las actividades de la lista?

Opciones:

• ir a la capital • visitar monumentos • visitar museos y galerías • visitar un estadio • ir al colegio
• ir a clases de español • ir de compras • visitar una granja • visitar una fábrica • ir a la playa
• ir a la montaña • ir a la discoteca • ir a una fiesta tradicional • ir a una fiesta en casa de una familia

Actividades que me gustaría hacer	Actividades que no me gustaría hacer

Cuando fui a España me alojé en casa de una familia española. Mi amigo Gerardo habla inglés, pero hablé mucho con su familia en español. De lunes a viernes fuimos a clase al colegio de Gerardo y visitamos la ciudad con el grupo de mi colegio. En las clases era muy difícil porque muchos de los profesores no hablan inglés. El fin de semana fui con la familia de Gerardo a su casa en la montaña. En la ciudad hace mucho calor, pero en la montaña hace buen tiempo y es más fresco. Nadamos en el río y montamos en bicicleta.
Gerardo va a venir a Inglaterra a visitarme en junio. Va a ir a clase conmigo porque quiere practicar el inglés. Va a visitar la ciudad con los profesores españoles. El fin de semana quiero dar una fiesta en casa. Voy a invitar a todos mis amigos, también a los españoles. Será fantástico. ¡Me gusta estudiar español, y hacer el intercambio es lo mejor!
Barry

Barry y Gerardo

Lee el texto otra vez. ¿Verdad (✔), mentira (✘) o no se menciona (NM)?

- **a** Barry no habla español.
- **b** Barry fue a clases en español.
- **c** Gerardo fue con Barry a visitar la ciudad.
- **d** El sábado y el domingo fueron a visitar la ciudad.
- **e** En la montaña hace calor.
- **f** A Barry le gusta montar a caballo.
- **g** El programa de actividades de Inglaterra es similar al de España.
- **h** El fin de semana van a ir a la discoteca.

3 Busca en el texto los equivalentes en español.

- **a** I stayed in the house of a Spanish family .
- **b** From Monday to Friday.
- **c** It was very hard.
- **d** It is cooler.
- **e** I want to have party.
- **f** It will be great.
- **g** It's the best.

G Gramática

Introduction

All languages have grammatical patterns (sometimes called 'rules'). Knowing the patterns of Spanish grammar helps you understand how Spanish works. It means you are in control of the language and can use it to say exactly what you want to say, rather than just learning set phrases.
Here is a summary of the main points of grammar covered in *Amigos 2*, with some activities to check that you have understood and can use the language accurately.

Glossary of terms

noun ***un nombre***
a person, animal, object or place
María *tiene un* ***perro*** *en su* ***casa****.*

determiner ***un determinante***
goes before a noun to introduce it
un *colegio,* ***la*** *amiga,* ***mi*** *gato*

singular ***el singular***
one of something
El profesor *tiene* ***un libro****.*

plural ***el plural***
more than one of something
Las mochilas *son de color verde.*

pronoun ***un pronombre***
a short word used instead of a noun or an object
Él *juega al fútbol y* ***lo*** *practica todos los días.*

verb ***un verbo***
a word that implies 'doing' or 'being'
Soy *español.* ***Juego*** *al baloncesto.*

adjective ***un adjetivo***
a word used to describe a noun
Mi perro es ***grande*** *y* ***marrón****.*

preposition ***una preposición***
describes position: where something is
La mesa está ***delante de*** *la ventana.*
El perro está ***al lado de*** *la cama.*

adverb ***un adverbio***
a word that describes a verb or qualifies an adjective.
Escribo ***fácilmente*** *en español.*

1 Pronunciation
la pronunciación

Pronunciation in Spanish follows a few basic rules. Once you have got used to the rules you will be able to say and spell Spanish words accurately.

1.1 The Spanish alphabet

A Escucha, lee y repite.
Listen, read and repeat.

A	ah	**N**	eneh
B	bay	**Ñ**	enyeh
C	theh/say	**O**	oh
Ch	chey	**P**	peh
D	deh	**Q**	coo
E	eh	**R**	ere
F	efeh	**RR**	erre
G	heh	**S**	eseh
H	atcheh	**T**	the
I	ee	**U**	oo
J	hotah	**V**	ooveh
K	kah	**W**	ooveh dobleh
L	eleh	**X**	ekis
Ll	elyeh	**Y**	ee gre-agah
M	emeh	**Z**	thetah

1.2 Vowels

Spanish vowels have only one sound each:
*g**a**to* *p**e**z* *h**i**storia* ***o**j**o*** *g**u**sta*

Be careful **not** to change the sound of a vowel followed by an r:
a in *habl**ar*** *e* in *v**er***

1.3 Combinations of vowels

When there are two vowels next to each other in a word, each vowel keeps its own sound.
Saying the two vowels together quickly and smoothly makes you sound more Spanish.

B Habla.
Say these sounds separately, then together, then in a word:

u a	*e i*	*i e*	*u e*	*a y*
ua	*ei*	*ie*	*ue*	*ay*
cuatro	*seis*	*siete*	*nueve*	*mayo*

1.4 Consonants

Watch out for the following Spanish sounds.

b and ***v***
These sound the same in Spanish.

c and ***g***
You need to remember rules for the pronunciation of **c** and **g**:
The pronunciation is 'soft' before an ***e*** or ***i***. **c** is pronounced as 'th' in 'think' and **g** as in Scottish 'loch':
cinco *centro*
Jorge *geografía* *biología*

The pronunciation is 'hard' before ***a***, ***o*** and ***u***. **c** is pronounced as in 'cat' and **g** as in 'gate':
cabeza *conejo* *cuatro*
gato *juego* *me gusta*

h
In Spanish, ***h*** is always silent:
hermano *hija* *¡hola!*

j
j is a sound made at the back of the throat, as in Scottish 'loch':
ojo *pájaro* *Jorge*

ll
ll is pronounced 'l y':
me llamo *se llaman*

ñ
ñ is pronounced 'ny':
España *mañana*

qu
qu is pronounced like 'c' in 'cat':
¿Qué tal? *¿Qué haces?*

rr
rr is pronounced with a roll:
perro

z
When followed by ***a***, ***o*** or ***u***, ***z*** sounds like 'th'. (***z*** is not usually used before ***e*** or ***i***.)
diez *pizarra* *azul*

- The only consonants which can be doubled are in the name CaRoLiNe.

1.5 Stress

When a word ends in a consonant (except *n* or *s*) the stress falls on the last syllable:
hablar *nariz* *profesor*

When a word ends in a vowel or in *s* or *n* the stress falls on the next to last syllable:
hablo *hablas* *hablan* *gato* *gatos*

An accent moves the stress to another syllable:
jardín *música* *geografía*

2 Nouns and determiners
los nombres y los determinantes

A noun is a word that you use to name people, animals, places, objects and ideas. They often have a small word, or determiner, in front of them (in English: 'a', 'the', 'this', 'my', 'his', etc.).

2.1 Masculine or feminine?

All Spanish nouns are either masculine or feminine. To tell if a noun is masculine or feminine, look at the determiner – the word in front:

	masculine words	feminine words
the	*el*	*la*
a/an	*un*	*una*

For example:
el perro, ***un*** colegio = masculine
la regla, ***una*** goma = feminine

Important! Every time you learn a new noun, make sure you know whether it is masculine or feminine.

Learn	*un perro*	✔
Not	*perro*	✘

Most nouns that end in *-o* are masculine and nouns that end in *-a* are feminine. There are some exceptions, e.g. *el día*.

Some nouns have a masculine and a feminine form:
el *amigo* male friend ***la*** *amiga* female friend
el *hermano* brother ***la*** *hermana* sister

However, when there is a mixed group of male and female, the masculine plural is used:
los *amigos* friends (all male, or mixed male and female)
los *hermanos* brothers and sisters

Note that sometimes the determiner is not needed in Spanish:

No tengo abuelos. I don't have any grandparents.

2.2 Singular or plural?

Most English nouns add -s to make them plural (when talking about more than one):
the cat ➔ the cats
the doctor ➔ the doctors

Spanish nouns form their plurals in several different ways, as follows:

- nouns ending in a vowel, add an *-s*:
  el perro ➔ *los perros*
- nouns ending in a consonant, add -es:
  el autocar ➔ *los autocares*
- nouns ending in *-z* change the *z* to c and add *-es*:
  el lápiz ➔ *los lápices*

Some nouns do not change in the plural:
el sacapuntas ➔ *los sacapuntas*

Some words gain or lose an accent in the plural:

dirección direction
direcciones directions

Some nouns are always plural:

los deberes homework

In front of plural nouns, the determiners (the words for 'a' and 'the') change:

	singular	plural
to say 'the'		
masculine words	*el*	*los*
feminine words	*la*	*las*
to say 'a/an' or 'some'		
masculine words	*un*	*unos*
feminine words	*una*	*unas*

Adjectives
los adjetivos

Adjectives are words we use to describe nouns.

3.1 Forms of adjectives

In English, whatever you are describing, the adjective stays exactly the same:
a **funny** film, a **funny** person, **funny** films, **funny** people.

In Spanish, the adjective changes to match the word it is describing. Like the noun, it must be either masculine or feminine, singular or plural.
To show masculine or feminine, there are special adjective endings:

- Many masculine singular adjectives end in *-o* (*blanc**o***, *roj**o***). To make them feminine, the *-o* changes to -a (*blanc**a***, *roj**a***).
- Other adjectives end in *-e* (*verd**e***). These remain the same in the masculine and feminine singular.
- Other adjectives end in a consonant like *-s*, *-n* or -l (*gris*, *marró**n***, *azu**l***). These also remain the same in the masculine and feminine singular.
- Some adjectives are invariable and do not change:

rosa pink *naranja* orange

masculine singular		feminine singular	
-o	*blanco*	*-a*	*blanca*
-e	*verde*	*-e*	*verde*
-s	*gris*	*-s*	*gris*
-n	*marrón*	*-n*	*marrón*
-l	*azul*	*-l*	*azul*
rosa		*rosa*	

Mi perro es blanco. *La camisa es blanca.*
El jersey es verde. *La blusa es verde.*

Note that for adjectives of nationality or regional origin, those which have an accent on the final syllable in the masculine singular drop this in the feminine:
francés *francesa.*

Also, those ending in letters other than *-o* add an *-a*:
español *españo**la**.*

If the noun is plural, the adjective must be plural too. The rules for making an adjective plural are the same as for nouns:

- add an *-s* to adjectives that end in a vowel (*alto* → *altos*, *bajo* → *bajos*).
- add *-es* to adjectives that end in a consonant (*gris* → *gris**es***, *azul* → *azul**es***).
- change *-z* to *-c* if the adjective ends in a *-z* and add *-es* at the end of it (*feliz* → *feli**ces***).

If the noun is feminine plural, first make the adjective feminine, before adding the same endings.

masculine plural	feminine plural
blancos	*blancas*
verdes	*verdes*
grises	*grises*
marrones	*marrones*
azules	*azules*
felices	*felices*

Mis perros son blancos. *Las casas son modernas.*
Los niños son felices. *Las niñas son felices.*

3.2 Position of adjectives

In English, adjectives always come before the noun they describe:
a big dog, a modern house, white cats.
In Spanish, adjectives come after the noun:
un perro ***grande****, una casa* ***moderna****, unos gatos* ***blancos****.*

3.3 Comparative adjectives

To compare one thing with another, use *más ... que* round an adjective (to mean 'more ... than') or *menos ... que* (to mean 'less than').
The adjective must agree with the noun as usual.

Mi hermano es ***más*** *alto* ***que*** *yo.*
My brother is tall**er** than I am.

Estos pisos son ***menos*** *modernos* ***que*** *esas casas.*
These flats are not as modern as (i.e. **less** modern **than**) those houses.

3.4 Superlatives

To say something or someone is 'the most' or 'the least', for example 'she is **the tallest** in the class', you use the superlative. It is formed as follows:
For example:

el/la/los/las	*más* (most)	+ adjective	*de...*
	menos (least)		*que...*

Pepe es ***el más inteligente de*** *la clase.*
María es ***la más alta de*** *la clase.*

Always use **de** where English would use 'in':

Es la casa más grande ***de*** *la ciudad.*
It's the biggest house **in** town.

To add emphasis and say 'very... indeed', take the ending off the adjective and add **-*ísimo*** or **-*ísima***.

*¡Es una chica guap****ísima****!*
*¡Tu amigo es aburrid****ísimo****!*

A **Mira la foto de los 'Jason five' y contesta a estas preguntas.**
Look at the photo of the 'Jason Five' and answer these questions.

1 ¿Quién es el más alto del grupo?
2 ¿Quién es el más rubio del grupo?
3 ¿Quiénes son los más pequeños del grupo?
4 ¿Quién es el más moreno?

3.5 Demonstrative adjectives and demonstrative pronouns

Demonstrative adjectives are used to point out exactly where something is in relation to the speaker. They are the equivalent of 'this', 'that' and 'that (over there)' and have to agree with the noun that they refer to.

this (singular)	these (plural)	that (singular)
Masc. este	Masc. estos	Masc. ese
Fem. esta	Fem. estas	Fem. esa

those (plural)	that over there (singular)	those over there (plural)
Masc. esos	Masc. aquel	Masc. aquellos
Fem. esas	Fem. aquella	Fem. aquellas

este jersey	this jumper
esa tortuga	that tortoise
aquel sombrero	that hat over there

B ¿este/a/os/as, ese/a/os/as o aquel/aquella/aquellos/as?
'This', 'that' or 'that over there'?

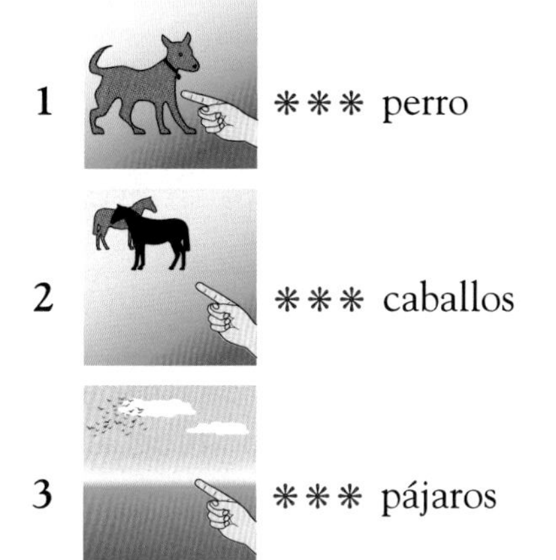

1 *** perro
2 *** caballos
3 *** pájaros

Demonstrative pronouns are used to avoid repeating a noun twice: I want a jumper and I like **that one** (i.e. that jumper). They are the same as the demonstrative adjectives but they have an accent:

this one (singular)	these ones (plural)	that one (singular)
Masc. éste	Masc. éstos	Masc. ése
Fem. ésta	Fem. éstas	Fem. ésa

those ones (plural)	that over there (singular)	those over there (plural)
Masc. ésos	Masc. aquél	Masc. aquéllos
Fem. ésas	Fem. aquélla	Fem. aquéllas

For example:
*Tengo dos faldas. ¿Te gusta más **ésta** o **ésa**?*
I have two skirts. Do you like **this one** or **that one** best?

C Escoge el pronombre demostrativo correcto. Luego, traduce las frases al inglés.
Complete the sentences with the correct demonstrative pronoun. Then translate the sentences into English.

1 Tengo una falda azul pero quiero también ***. (éste/ésta/éstos/éstas)
2 Mis padres ya tienen muchos libros pero ahora compran ***. (ése/ésa/ésos/ésas)
3 No quiero tu cuaderno, quiero ***. (éste/ésta/éstos/éstas)
4 Mis mochilas son ***. (aquél/aquélla/aquéllos/aquéllas)

4 The possessive
el posesivo

4.1 The possessive of nouns

To show who or what something or someone belongs to, use *de* (of) with nouns:

*el padre **de** Raquel*	Raquel**'s** father
*la regla **de** Carlos*	Carlos**'** ruler

4.2 Possessive adjectives

Possessive adjectives also show who or what something belongs to ('my bag', 'your CD', 'his brother', etc.).
They come before the noun they describe, in place of *un/una/unos/unas* or *el/la/los/las*, for example.
Like all adjectives, they have to match the noun they describe:

	singular masc.	fem.	**plural** masc.	fem.
my	*mi*	*mi*	*mis*	*mis*
your (singular)	*tu*	*tu*	*tus*	*tus*
his/her/its/your (*usted*)	*su*	*su*	*sus*	*sus*
our	*nuestro*	*nuestra*	*nuestros*	*nuestras*
your (plural)	*vuestro*	*vuestra*	*vuestros*	*vuestras*
their/your (*ustedes*)	*su*	*su*	*sus*	*sus*

For example:

Mi *hermana odia a* **tu** *hermano.*
My sister hates **your** brother.
Está hablando con **su** *abuela.*
She is talking to **her** grandmother.

Notice that 'my', 'your', 'his/her/its' and 'their' have the same form for masculine and feminine:

mi amigo *mi amiga*
tu colegio *tu mochila*

Remember that in Spanish you do not use possessive adjectives to talk about parts of the body:

Tengo **el** *pelo rubio.*	I've got fair hair.
Tiene **los** *ojos verdes.*	She has green eyes.

5 Adverbs
los adverbios

Adverbs are used to describe a verb or to qualify an action. Unlike adjectives, they do not change to agree with anything. There are several different types of adverbs. How many do you recognize?

Adverbs formed by adding *-mente* (the Spanish equivalent of '-ly')	*fácilmente* – easily
Formed by adding *-mente* to the feminine form of the adjective:	*rápido* → *rápid**a**mente* – quickly
Adverbs of time	*siempre* – always *a veces* – sometimes *a menudo* – often *ahora* – now
Adverbs of degree	*muy* – very *un poco* – a little bit *bastante* – quite
Adverbs of place	*aquí* – here *allí* – there *detrás* – behind *delante de* – in front of
The adverb from *bueno* (good) is irregular:	*bien* – well
As is the adverb from *malo* (bad):	*mal* – badly

A Completa estas frases con el adverbio correcto.
Complete each sentence with the correct adverb.

1 Hoy Jorge es cansado y camina muy *** al colegio.
2 Marisol juega *** bien al hockey, pero no muy muy bien.
3 Escribo *** en inglés.
4 Tu libro está ***, sobre la mesa.
5 *** van al mercado el sábado.

siempre lentamente fácilmente bastante aquí

6 Prepositions
las preposiciones

Prepositions are little words like 'in', 'on', 'at', etc. which tell you where someone or something is:

Vivo **en** *el campo.*	I live **in** the countryside.
Soy **de** *Perú.*	I am **from** Peru.

6.1 Prepositions of place

Prepositions are used before nouns and pronouns to indicate the position of a person or an object. Because you are saying where something is, you always need to use the verb *estar*.
These prepositions all have *de* after them (apart from *en* and *entre*).

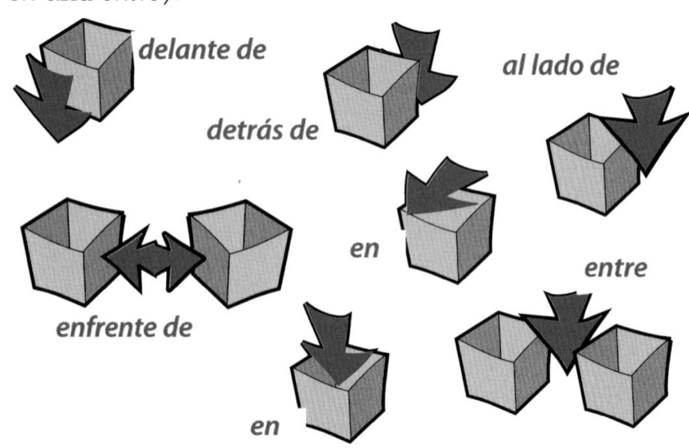

en medio de	in the middle of
al final de	at the end of
a la derecha de	on the right of
a la izquierda de	on the left of
cerca de	near to
lejos de	far from

6.2 *a* and *de*

A combines with *el/la/los/las* in front of the noun to form the following:

singular		**plural**	
masculine	feminine	masculine	feminine
al	*a la*	*a los*	*a las*

*Voy **al** supermercado.* I'm going **to the** supermarket.

De combines with *el/la/los/las* in front of the noun to form the following:

singular		**plural**	
masculine	feminine	masculine	feminine
del	*de la*	*de los*	*de las*

*El cine está al final **de la** calle.*
The cinema is at the end **of the** street.

6.3 Means of transport

Most means of transport use the preposition *en* meaning 'by'.

en	*coche*	by car
	avión	by plane
	autobús	by bus
	barco	by boat
	bicicleta	by bike

Only two means of transport use *a* instead:

a pie on foot
a caballo on horseback

7 Pronouns
los pronombres

A pronoun is a small word used instead of a noun or name. It helps to avoid repetition. For example:

*Mi hermano es alto. **Él** juega al fútbol.*
My brother is tall. **He** plays football.

7.1 Subject pronouns

The subject of a verb tells you who or what is doing the action of the verb. It is usually a noun, but sometimes it is a pronoun. In English, we use the following subject pronouns:
I you he she it we they
I'm learning Spanish. Are **you**?

The Spanish subject pronouns are:

I	=	*yo*	
you (singular)	=	*tú*	to a child, a friend or a relative
		usted	to an adult you are not related to
you (plural)	=	*vosotros*	for a masculine plural, or for a mixed masculine and feminine group
		vosotras	for a feminine plural
		ustedes	for adults you are not related to
he	=	*él*	for a boy or man
she	=	*ella*	for a girl or woman
it	=	*él*	if the noun it refers to is masculine
		ella	if the noun it refers to is feminine
we	=	*nosotros*	for a masculine plural, or for a mixed masculine and feminine group
		nosotras	for a feminine plural
they	=	*ellos*	for a masculine plural, or for a mixed masculine and feminine group
		ellas	for a feminine plural

These subject pronouns are not often used in Spanish, as the verb ending usually shows who is the subject (who is doing the action).

Tengo *dos perros.* **I have** two dogs.

However, they are often used for emphasis or contrast:

Yo *tengo dos perros pero* ***tú*** *tienes tres perros.*
I have two dogs, but **you** have three dogs.

7.2 Direct object pronouns

Direct object pronouns replace the name of a person or thing which has just been talked about, for example:
I bought an ice-cream. I bought **it**.
(it = the ice-cream).
Compré un helado. ***Lo*** *compré.*
The pronoun changes according to the noun it is replacing:

me	me
te	you
le	him (masculine person), you (polite)
lo	it (masculine thing), him (masculine person)
la	her (feminine person or thing)
nos	us
os	you (plural)
les	them (masculine people), you (polite)
las	them (feminine people and things)
los	them (masculine, or mixture of masculine and feminine)

They are normally placed in front of the verb.

A Sustituye los complementos directos de estas frases por el pronombre correcto.
Replace each noun with the correct direct object pronoun.

1 Compro dos pasteles en la tienda. Los compro.
2 Tengo tres tortugas en mi casa. *** tengo.
3 Escribo una carta. *** escribo.
4 Tengo cuatro hermanas. *** tengo.
5 Leemos un libro. *** leemos.

7.3 Indirect object pronouns

Indirect object pronouns replace the person who is on the receiving end of the action:

He talks **to me**. ***Me*** *habla.*

me	to me
te	to you
le	to him, to her, to it, to you (polite)
nos	to us
os	to you (plural)
les	to them, to you (polite)

They take the same position in the sentence as direct object pronouns, i.e. in front of the verb:
He writes **to you**. ***Te*** *escribe.*

B Completa estas frases con el pronombre correcto.
Complete these sentences with the correct indirect object pronoun.

1 I talk to him. *** hablo.
2 She talks to them. *** habla.
3 We write to her. *** escribimos.
4 He talks to us. *** habla.

C Ahora, traduce estas frases al español.
Now translate the following sentences into Spanish.

1 They talk to him.
2 She talks to you (singular).
3 We write to you (plural).

7.4 Emphatic pronouns

Emphatic pronouns are used after certain prepositions such as *con, para, detrás de, cerca de, al lado de*. Apart from the first two persons: 'me' and 'you', they are the same as the subject pronouns:

singular	plural
mí (me)	*nosotros/nosotras* (us)
ti (you singular)	*vosotros/vosotras* (you plural)
usted (formal 'you')	*ustedes* (formal 'you')
él (him)	*ellos/ellas* (them)
ella (her)	

El helado es para mí. The ice-cream is for me.
Para ella, un café con leche. For her, a white coffee.

To say 'with me' and 'with you', the forms *conmigo* and *contigo* are used.

Mi hermano va a comer conmigo.
My brother is going to eat with me.

D Rellena los espacios.
Fill in the gaps in the speech bubbles.

1

2

3

4

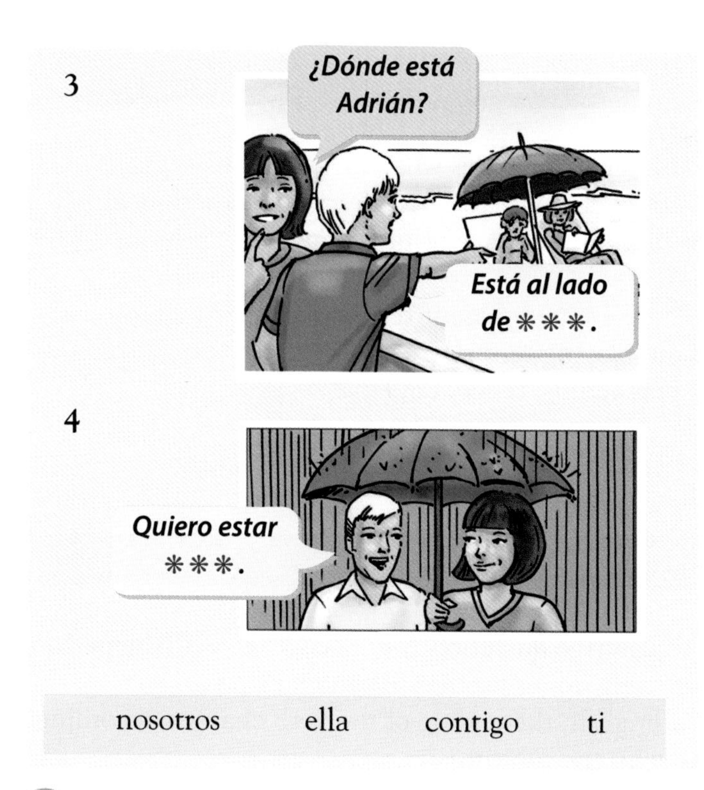

nosotros   ella   contigo   ti

8 Verbs
los verbos

Verbs are words which describe what is happening. If you can put 'to' in front of a word, or '-ing' at the end, it is probably a verb.

listen – to listen ✔ = a verb
try – to try ✔ = a verb
desk – to desk ✘ = not a verb
easy – to easy ✘ = not a verb

8.1 The infinitive

Verbs take different forms:

I **have** a dog. Sarah **has** a cat.
They **haven't** any pets.

If you want to look up a verb in a dictionary, you won't find all the forms listed. For example, you won't find 'has' or 'hasn't'. You have to look up the infinitive 'to have'.

In Spanish, infinitives are easy to recognize as they normally end in *-ar*, *-er*, or *-ir*.
For example:

hablar	to talk
comer	to eat
vivir	to live

8.2 The present tense

The **tense** indicates when an action takes place. A verb in the present tense describes an action which is taking place now or takes place regularly.

There are two present tenses in English:
I am playing tennis. (now)
I play tennis. (every day)

Both of these can be translated in Spanish as:
Juego al tenis.

8.3 Present tense verb endings

To describe an action, you need a subject (the person or thing doing the action) and a verb.
In English, the ending of the verb changes according to who the subject is:

you eat/she eats we speak/he speaks.

Verb endings change in Spanish too, for the same reason.

8.4 Regular verbs in the present tense

Most Spanish verbs follow the same pattern. They have regular endings.
Typical endings for verbs that end in *-ar*, like *hablar* (to talk/speak) are:

(yo)	habl**o**
(tú)	habl**as**
(él/ella/usted)	habl**a**
(nosotros)	habl**amos**
(vosotros)	habl**áis**
(ellos/ellas/ustedes)	habl**an**

Some other verbs which follow the same pattern are:

bailar to dance
escuchar to listen

Typical endings for verbs that end in *-er*, like *comer* (to eat) are:

(yo)	com**o**
(tú)	com**es**
(él/ella/usted)	com**e**
(nosotros)	com**emos**
(vosotros)	com**éis**
(ellos/ellas/ustedes)	com**en**

Some other verbs which follow the same pattern are:
beber to drink
leer to read

Typical endings for verbs that end in *-ir*, like *vivir* (to live) in the present tense are:

(yo)	viv**o**
(tú)	viv**es**
(él/ella/usted)	viv**e**
(nosotros)	viv**imos**
(vosotros)	viv**ís**
(ellos/ellas/ustedes)	viv**en**

Some other verbs which follow the same pattern are:

abrir to open
escribir to write

8.5 *Tú* and *usted*: Familiar and formal

In Spanish, the way you talk to people depends on whether you are being familiar (to friends and family) or formal (to strangers or older people).
To be familiar you use the *tú* (singular) and *vosotros* (plural) verb endings.
To be formal you use the *usted* (singular) and *ustedes* (plural) endings, which are the third person endings.
You will see in written Spanish that *usted* is often shortened to *Ud*. or *Vd*. and *ustedes* to *Uds*. or *Vds*.

8.6 Radical-changing verbs

Some verbs follow a pattern in which the middle letters change in all forms except for *nosotros* and *vosotros*.

	pensar	to think
(yo)	pienso	I think
(tú)	piensas	you think (singular)
(él/ella/usted)	piensa	he, she, it thinks, you think (formal)
(nosotros)	pensamos	we think
(vosotros)	pensáis	you think (plural)
(ellos/ellas/ustedes)	piensan	they think (plural), you think (formal)

Some other verbs which follow this pattern are:

jugar (to play)	→	**jue**go (I play)
volver (to return)	→	**vuel**vo (I return)
vestirse (to get dressed)	→	me **vis**to (I get dressed)
despertarse (to wake up)	→	me des**pier**to (I wake up)

8.7 Reflexive verbs

Reflexive verbs have the object pronouns *me*, *te*, *se*, *nos*, *os*, *se* before the different parts of the verb.

¿A qué hora **te** *duchas?*	**Me** *ducho a las ocho.*
¿Cómo **te** *llamas?*	**Me** *llamo Nuria.*

In English you don't need to say 'I shower **myself**' but in Spanish you need to add the reflexive pronoun.

	lavarse	to get washed
(yo)	**me** lavo	I wash (myself)
(tú)	**te** lavas	you wash (yourself)
(él/ella/usted)	**se** lava	he, she, it washes (him/her/itself), you wash (yourself) (formal)
(nosotros)	**nos** lavamos	we wash (ourselves)
(vosotros)	**os** laváis	you wash (yourselves)
(ellos/ellas/ustedes)	**se** lavan	they wash (themselves), you wash (yourselves) (formal)

Some other verbs which follow this pattern are:

despertarse	to wake up
levantarse	to get up
vestirse	to get dressed
peinarse	to comb your hair
llamarse	to be called

Acostarse and *despertarse* are both reflexive and radical-changing.

(yo)	me acuesto	I go to bed
(tú)	te acuestas	you go to bed (singular)
(él/ella/usted)	se acuesta	he, she, it goes to bed, you go to bed (formal)
(nosotros)	nos acostamos	we go to bed
(vosotros)	os acostáis	you go to bed (plural)
(ellos/ellas/ustedes)	se acuestan	they go to bed, you go to bed (formal)

	despertarse	to wake up
(yo)	me despierto	I wake up
(tú)	te despiertas	you wake up (singular)
(él/ella/usted)	se despierta	he, she, it wakes up, you wake up (formal)
(nosotros)	nos despertamos	we wake up
(vosotros)	os despertáis	you wake up (plural)
(ellos/ellas/ustedes)	se despiertan	they wake up, you wake up (formal)

8.8 Irregular verbs

Some verbs do not follow the regular pattern, and these are called irregular verbs.

G Gramática

Here are some common irregular verbs:

Infinitive	Present	English
ir (to go)	(yo) voy	I go
	(tú) vas	you go (singular)
	(él/ella/usted) va	he/she/it goes, you go (formal)
	(nosotros) vamos	we go
	(vosotros) vais	you go (plural)
	(ellos/ellas/ustedes) van	they go, you go (formal)
hacer (to do/make)	(yo) hago	I do/make
	(tú) haces	you do/make (singular)
	(él/ella/usted) hace	he/she/it does/makes, you do/make (formal)
	(nosotros) hacemos	we do/make
	(vosotros) hacéis	you do/make (plural)
	(ellos/ellas/ustedes) hacen	they do/make, you do/make (formal)
tener (to have)	(yo) tengo	I have
	(tú) tienes	you have (singular)
	(él/ella/usted) tiene	he/she/it has, you have (formal)
	(nosotros) tenemos	we have
	(vosotros) tenéis	you have (plural)
	(ellos/ellas/ustedes) tienen	they have, you have (formal)
salir (to go out)	(yo) salgo	I go out
	(tú) sales	you go out (singular)
	(él/ella/usted) sale	he/she/it goes out, you go out (formal)
	(nosotros) salimos	we go out
	(vosotros) salís	you go out (plural)
	(ellos/ellas/ustedes) salen	they go out, you go out (formal)
decir (to say)	(yo) digo	I say
	(tú) dices	you say (singular)
	(él/ella/usted) dice	he/she/it says, you say (formal)
	(nosotros) decimos	we say
	(vosotros) decís	you say (plural)
	(ellos/ellas/ustedes) dicen	they say, you say (formal)

8.9 The verb 'to be': *ser* or *estar*

In Spanish, there are two verbs meaning 'to be': *ser* and *estar*. They are used for different situations: *Ser* is used to describe permanent qualities.

***Description*:**
Mi hermano es alto. My brother is tall.

***Nationality*:**
Antonio Banderas es español.
Antonio Banderas is Spanish.

Soy de Francia. I am from France.

***Profession*:**
Mi madre es profesor. My mother is a teacher.

***Time*:**
¿Qué hora es? Son las dos.
What time is it? It is 2 o'clock.

Estar is for temporary positions or states, and location.

***Position*:**
El cine está al final de la calle.
The cinema is at the end of the road.

***Mood*:**
¿Cómo estás? Estoy fatal.
How are you? I feel awful.

***Location*:**
¿Dónde está Andalucía? Está en el sur de España.
Where is Andalucia? It is in the south of Spain.

***Temporary state*:**
¿Está abierto, el museo? Sí.
Is the museum open? Yes.

***Weather*:**
Está lloviendo. It is raining.

8.10 *tener* and *hacer*

There are some expressions in English where the verb 'to be' would be used, but in Spanish another verb is used.

Tengo doce años.	I **am** twelve.
Hace sol.	It **is** sunny.
Hace frío.	It **is** cold.

8.11 Verb idioms

The verb *tener* can be used to convey different meanings. You have come across some of these uses before. Which ones do you recognize?

tengo calor	I'm hot
tengo frío	I'm cold
tengo hambre	I'm hungry
tengo sed	I'm thirsty
tengo miedo	I'm scared
tengo sueño	I'm tired
tengo dolor de cabeza	I have a headache
tengo un resfriado	I have a cold
tengo buena/mala salud	I am in good/ bad health
tengo suerte	I'm lucky

A **¿Qué expresión usarías en estas situaciones?**
What would you say in these situations?

a

b

c

d

e

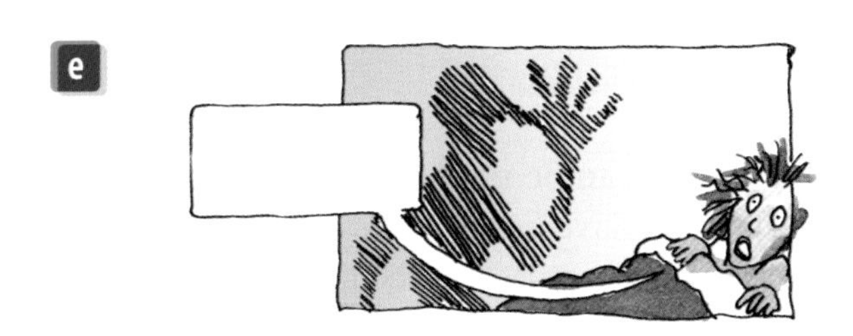

8.12 *Deber, tener que, hay que*

These three verbs mean 'must' or 'have to' and they are followed by the infinitive. *Deber* is the strongest of the three, meaning 'must'. *Tener que* is less strong, meaning 'to have to', whilst *hay que* means 'it is necessary to'.

Debo estudiar.	I must study.
Tengo que estudiar.	I have to study.
Hay que estudiar.	It is necessary to study.

B **¿Cómo dirías lo siguiente en español?**
How would you say the following in Spanish?

1 She must go to school.
2 We have to visit the museum.
3 It is necessary to do the exercise.
4 I must speak Spanish in Spain.
5 She has to go shopping.

8.13 Verb + infinitive

You have come across some expressions that are followed by an infinitive. For example:

voy a + infinitive	*Voy a salir.*
tengo que + infinitive	*Tengo que ir.*
quiero + infinitive	*Quiero comer.*
me gusta + infinitive	*Me gusta salir con mis amigos.*
odio + infinitive	*Odio estudiar.*
puedo + infinitive	*Puedo jugar al fútbol hoy.*

To make these expressions negative, you just add *no* in front (apart from *odio* which is already a negative expression).

No voy a salir.	I'm not going to go out.
No tengo que ir.	I don't have to go.

C **Mira los dibujos y completa las frases.**
Look at the pictures and complete the sentences.

1 ¡No me *** la pasta!

2 ¡No *** salir!

3 ¡No *** a estudiar!

4 ¡No *** que *** al colegio porque estoy enferma!

puedo voy tengo ir gusta

8.14 The immediate future

You can use the verb *ir* followed by *a* + infinitive to talk about what you are going to do in the near future.

Voy a lavar el coche.	I'm going to wash the car.
Va a jugar al tenis.	She's going to play tennis.
Vamos a ir a España.	We're going to go to Spain.

8.15 *gustar* and *encantar*

To say 'I like' in Spanish, use *me gusta.* You can tell by the ending that this is not in the first person ('I') form. Its literal translation is 'it pleases me/it is pleasing to me', which means the same as 'I like'.

The singular form, for saying you like one thing, is *me gusta*, and the plural form, for saying you like more than one thing, is *me gust**an***.

*Me gust**a** el chocolate.* I like chocolate.
*Me gust**an** los chocolates.* I like the chocolates.

Encantar ('to love') follows the same pattern: *me encanta/me encantan*.

To say 'I/you/he/she/it like(s)' etc., you simply change the pronoun:

I like	me gusta/me gustan
you like (singular)	te gusta/te gustan
he/she/it likes, you like (formal)	le gusta/le gustan
we like	nos gusta/nos gustan
you like (plural)	os gusta/os gustan
they like, you like (formal)	les gusta/les gustan

Other verbs that work in the same way as *gustar* and *encantar* are:

interesar (to interest):
me interesa/me interesan I am interested in
hacer falta (to need):
me hace falta/me hacen falta I need (to)
doler (to hurt):
me duele/me duelen… my … hurt(s)
quedar (to remain):
me queda/me quedan I have left…

8.16 *Hacer falta*

Hacer falta means 'to need something', so *me hace falta* means 'I need'.
It is used impersonally in the same way as *gustar*, which means that *hace falta* stays the same in the singular and you only change the pronouns at the front. If you need more than one thing, then *hace falta* becomes *hace**n** falta*.

me		I need
te		you need
le		he/she/it needs,
	hace(n) falta	you (formal) need
nos		we need
os		you (plural) need
les		they need, you (plural, formal) need

Me hace falta un abrigo. I need a coat.
Me hacen falta unos zapatos. I need some shoes.

D **Mira la lista de Luis y escribe lo que le hace falta.**
Look at Luis's list and write what he needs.

unos pantalones Le hacen falta unos pantalones.
unas zapatillas de deporte
un paraguas
una mochila
un cuaderno
unos vaqueros

8.17 Modal verbs

To say what you can or are able to do, or what it is possible to do, you use the following construction: *se puede* + infinitive. For example:
Se puede nadar en la playa. You can swim at the beach.

Put *no* before *se puede* to make the sentence negative:
No se puede fumar en el colegio.
You cannot smoke in school.

E **Empareja los dibujos con las frases.**
Match up the pictures with the sentences.

- **a** Se puede pasar.
- **b** No se puede ir rápido.
- **c** No se puede hablar aquí.
- **d** No se puede dejar basura.
- **e** No se puede ir en coche.

8.18 Imperatives

The imperative is the form of the verb you use to tell someone to do something. You will come across it in classroom instructions and giving or receiving directions:

Read this. Eat it. Get out!

Classroom instructions:
There are two forms of the imperative used in a classroom situation: the *tú* form (the familiar form, for talking to one person) and the *vosotros* form (for talking to more than one person).

Directions:
For directions there are two forms of the imperative: the *tú* form ('you' familiar form, for example when an adult is talking to a child) and the *usted* form (formal form, for example a child talking to an adult, or two adults who don't know each other).

tú	**usted**
Cruza la plaza.	Cruce la plaza.
Toma la tercera a la izquierda.	Tome la tercera a la izquierda.
Sigue todo recto.	Siga todo recto.

8.19 The preterite tense: regular verbs

The preterite is the tense that you use to refer to an action that started and finished in the past. To form it, you take off the ending of the infinitive of the verb (*-ar*, *-er* or *-ir*) and add the following endings:

	-ar	**-er**	**-ir**
yo	-é	-í	-í
tú	-aste	-iste	-iste
él/ella/usted	-ó	-ió	-ió
nosotros/ as	-amos	-imos	-imos
vosotros/ as	-asteis	-isteis	-isteis
ellos/ellas/ustedes	-aron	-ieron	-ieron

F **Completa la postal con las formas verbales apropiadas.**
Fill in the postcard with the correct verb forms.

¡Hola, Elena!
En Puerto Banús yo *** (salir) con mis amigos. Mi madre y yo *** (comer) mucho pescado. Mi hermano y yo *** (alquilar) unas bicicletas. Yo *** (hablar) mucho español.
¡Puerto Banús era fascinante!

8.20 The preterite tense: irregular verbs

There are some irregular verbs that you have come across already in *Amigos 2*:

hacer	**ver**	**ser/ir**
hice	vi	fui
hiciste	viste	fuiste
hizo	vio	fue
hicimos	vimos	fuimos
hicisteis	visteis	fuisteis
hicieron	vieron	fueron

tener
tuve
tuviste
tuvo
tuvimos
tuvisteis
tuvieron

As you can see, *ser* and *ir* are exactly the same, so *fui* can mean 'I went' or 'I was'.

G Completa estas frases con la forma verbal apropiada de *hacer*, *ver*, *ser* o *ir*.
Complete these sentences with the correct form of *hacer*, *ver*, *ser* or *ir*.

1 Yo  Fui a la playa.

2 Nosotros  *** a Mallorca.

3 Ella  *** la televisión.

4 Nosotros  *** la cama.

5 Ellos  *** pájaros desde el barco.

8.21 The imperfect tense

The imperfect is used to say what something was like in the past, or to say what you used to do. It is also used to describe time and weather in the past.
In *Amigos 2* you have come across *era* to say 'it was' to describe places, and *hacía* for 'it was' related to weather.

Hacía…	sol	**It was…**	sunny
	calor		hot
	frío		cold
	viento		windy
	buen tiempo	The weather was good	
	mal tiempo	The weather was bad	
Era…	grande	**It was…**	big
	pequeño		small
	moderno		modern
	antiguo		old

H **Di qué tiempo hace en cada dibujo. Utiliza la expresión correspondiente con *hacer*.**
Use expressions with *hacer* to describe the weather in the past.

9 Negatives
los negativos

9.1 Negatives with *no*

To make a sentence negative in Spanish, put *no* in front of the verb.

Juego al tenis.	*No juego al tenis.*
Me gusta la historia.	*No me gusta la historia.*
Tengo un lápiz.	*No tengo un lápiz.*

When you are saying 'is not' or 'there isn't', remember to put the *no* first:

No es… *No hay…*

9.2 Negatives with *nada/nunca*

Other negative sentences can be formed by putting *no* in front of the verb and another negative word,

such as 'never' or 'nothing' after the verb.
Nada means 'nothing'. *Nunca* means 'never'.

No hago nada.	I don't do anything.
No me gusta nada.	I don't like anything./I don't like it at all.
No juego nunca.	I never play.
No voy nunca.	I never go.

10 Questions
las preguntas

Questions in Spanish have an upside-down question mark: ¿ at the beginning and a normal question mark at the end. This is all you need to turn a positive sentence into a question:

Tienes un gato.	You have a cat.
¿Tienes un gato?	Do you have a cat?
Vives en España.	You live in Spain.
¿Vives en España?	Do you live in Spain?

You can ask questions by making your voice go up at the end:

¿Te llamas Paco? *¿Vives aquí?* *¿Tienes hermanos?*

You can also start a question with a question word. Notice that they all have accents:

¿Cómo?	How?
¿Dónde?	Where?
¿Por qué?	Why?
¿Cuánto/a?	How much?
(*Cuántos/Cuántas?*)	(How many?)
¿Qué?	What?
¿Cuál(es?)	Which?
¿Quién/Quiénes?	Who?
¿Cuándo?	When?
¿Adónde?	Where (to)?

Note that some question words change to agree with feminine and plural nouns:

*¿Cuán**tas** revistas quiere?*
How many magazines do you want?

*¿Cuál**es** prefieres?*	Which do you prefer?
*¿Quién**es** son?*	Who are they?

Frases útiles

Greetings

Hello	*Hola*
Good morning	*Buenos días*
Good afternoon (from 1 pm onwards)	*Buenas tardes*
Good night (from 10 pm onwards)	*Buenas noches*
See you later	*Hasta luego*
Goodbye	*Adiós*
Pleased to meet you	*Encantado/a*
How are you?	*¿Qué tal?*
Fine, thanks	*Bien, gracias*
Great	*Fenomenal*
OK	*Regular*
Feeling awful	*Fatal*

Days *los días de la semana*

The days of the week are masculine in Spanish and they are not written with a capital letter like they are in English.

Monday	*lunes*
Tuesday	*martes*
Wednesday	*miércoles*
Thursday	*jueves*
Friday	*viernes*
Saturday	*sábado*
Sunday	*domingo*
the weekend	*el fin de semana*

To say what day you do something, you don't need a word for 'on', but you need to use the article:

***El** sábado voy al parque.*

On Saturday I'm going to the park.

To say that you do something every Monday, you put *los* in front of the day.

***Los** lunes voy al colegio.*

On Mondays I go to school.

Months *los meses*

Months are not written with a capital letter like they are in English.

January	*enero*	July	*julio*
February	*febrero*	August	*agosto*
March	*marzo*	September	*septiembre*
April	*abril*	October	*octubre*
May	*mayo*	November	*noviembre*
June	*junio*	December	*diciembre*

Amounts *las cantidades*

a lot	*mucho/a*
a little bit	*un poco*
quite a lot	*bastante*
too much	*demasiado*

Connectives

Connectives are words or phrases that link phrases and sentences together.

and	*y*
but	*pero*
for example	*por ejemplo*
so	*entonces*
because	*porque*
where	*donde*
who	*que*
when	*cuando*
if	*si*

Opinions

I like	*me gusta*
I love	*me encanta*
I hate	*odio*
I prefer	*prefiero*
I'm crazy about	*me chifla*
I think that	*pienso/creo que*
to think	*pensar/creer*
I say that	*digo que*
to say	*decir*

G Gramática

The time *la hora*

At what time?	*¿A qué hora…?*
At two o'clock.	*A las dos.*
What time is it?	*¿Qué hora es?*
It is two o'clock.	*Son las dos.*

Remember that you use *es* for 1 o'clock and all times up to 1.59. For all other times you use *son*.

At one o'clock.	*A la una.*
It is one o'clock.	*Es la una.*
It is twenty past one.	*Es la una y veinte*

Numbers *los números*

0	*cero*
1	*uno*
2	*dos*
3	*tres*
4	*cuatro*
5	*cinco*
6	*seis*
7	*siete*
8	*ocho*
9	*nueve*
10	*diez*
11	*once*
12	*doce*
13	*trece*
14	*catorce*
15	*quince*
16	*dieciséis*
17	*diecisiete*
18	*dieciocho*
19	*diecinueve*
20	*veinte*
21	*veintiuno*
22	*veintidós*
23	*veintitrés*
24	*veinticuatro*
25	*veinticinco*
26	*veintiséis*
27	*veintisiete*
28	*veintiocho*
29	*veintinueve*
30	*treinta*
31	*treinta y uno*
32	*treinta y dos*
33	*treinta y tres*
40	*cuarenta*
50	*cincuenta*
60	*sesenta*
70	*setenta*
80	*ochenta*
90	*noventa*
100	*cien/ciento*
101	*ciento y uno*
102	*ciento dos*
103	*ciento tres*
150	*ciento cincuenta*
200	*doscientos*
300	*trescientos*
400	*cuatrocientos*
500	*quinientos*
600	*seiscientos*
700	*setecientos*
800	*ochocientos*
900	*novecientos*
1000	*mil*

first	*primero/a*
second	*segundo/a*
third	*tercero/a*
fourth	*cuarto/a*
fifth	*quinto/a*
sixth	*sexto/a*

Dates *las fechas*

the first of January	*el primero/uno de enero*
the second of January	*el dos de enero*
the twenty-first of November	*el veintiuno de noviembre*

When you write dates in Spanish, you have to add *el* before the number, for example:
12th of February = ***el*** *12 de febrero*.

1900	*mil novecientos*
1967	*mil novecientos sesenta y siete*
2000	*dos mil*
2008	*dos mil ocho*

Time expressions *Expresiones de tiempo*

normally	*normalmente*
often	*muchas veces, a menudo*
always	*siempre*
never	*nunca*
early	*temprano*
late	*tarde*
a week	*una semana*
a month	*un mes*
a fortnight	*quince días*
in the morning	*por la mañana*
in the afternoon/ evening	*por la tarde*
this week	*esta semana*
once a week	*una vez a la semana*
twice a week	*dos veces a la semana*
next weekend	*el fin de semana que viene, el fin de semana próximo*
next Monday	*el lunes próximo*
before + -ing	*antes de* + infinitive
after + - ing	*después de* + infinitive

A

abierto/a *adj* open
un **abrazo** *nm* a hug
abril *nm* April
una **abuela** *nf* a grandmother
un **abuelo** *nm* a grandfather
aburrido/a *adj* boring
acostarse *v* to go to bed
activo/a *adj* active
un **actor** *nm* an actor
una **actriz** *nf* an actress
adecuado/a *adj* appropriate
adiós goodbye
adosado/a *adj* semi-detached
las **afueras** *nfpl* the outskirts
una **agenda** *nf* a diary
agosto *nm* August
el **agua** *nf* water
un **albergue juvenil** *nm* a youth hostel
las **albóndigas** *nfpl* meatballs
alemán/alemana *adj* German
Alemania Germany
una **alfombra** *nf* a rug
la **alga** *nf* seaweed
algo something
algún any
el **alimento** *nm* food
alojarse *v* to stay in/at
el **ambiente** *nm* atmosphere
alquilar *v* to rent, hire
alto/a *adj* tall
amarillo/a *adj* yellow
americano/a *adj* American
un **amigo** *nm* a friend
las **anchoas** *nfpl* anchovies
un **año** *nm* a year
antiguo/a *adj* old
un **anuncio** *nm* an advert
un **apellido** *nm* a surname
árabe *adj* arabic
una **araña** *nf* spider
la **arena** *nf* sand/litter
un **armario** *nm* a wardrobe, a cupboard
arreglar *v* to fix, repair
el **arroz** *nm* rice
la **artesanía** *nf* crafts
un **artículo** *nm* an article
un **aseo** *nm* a toilet
una **asignatura** *nf* a school subject
un **asno** *nm* a donkey
el **atletismo** *nm* athletics
atrás behind
atravesar *v* to cross
el **atún** *nm* tuna
australiano/australiana *adj* Australian
un **autobús** *nm* a bus
un **autocar** *nm* a coach
un **avión** *nm* a plane
ayer yesterday
ayudar *v* to help
azul *adj* blue

B

el **bádminton** *nm* badminton
bailar *v* to dance
bajar *v* to go down
bajo/a *adj* short
un **balón** *nm* a ball
el **baloncesto** *nm* basketball
el **balonmano** *nm* handball
una **balsa** *nf* a small boat
una **bandera** *nf* a flag
un **bañador** *nm* a swimming costume
bañarse *v* to go swimming
un **bar** *nm* a bar
barato/a *adj* cheap, inexpensive
una **barba** *nf* a beard
un **barco** *nm* a boat
un **barrio** *nm* a neighbourhood
bastante quite
la **basura** *nf* the rubbish
una **batalla** *nf* a battle
una **biblioteca** *nf* a library
una **bicicleta** *nf* a bike
bien well
un **bigote** *nm* a moustache
bilingüe *adj* bilingual
blanco/a *adj* white
un **bolígrafo** *nm* a biro
una **bolsa** *nf* a bag
bonito/a *adj* pretty
un **bosque** *nm* a wood
una **botella** *nf* a bottle
bucear *v* to go snorkelling
bueno/a *adj* good
el **bullicio** *nm* bustle, noise

C

un **caballo** *nm* a horse
cada each
caer *v* to fall
el **café** *nm* coffee
una **cafetería** *nf* a cantine, a café
una **calabaza** *nf* a pumpkin
los **calcetines** *nmpl* socks
caliente *adj* hot
callar *v* to be quiet
una **calle** *nf* a street
el **calor** *nm* the heat
calvo/a *adj* bald
una **cama** *nf* a bed
cambiar *v* to change
caminar *v* to walk
una **camiseta de fútbol** *nm* a football shirt
el **campo** *nm* the countryside
una **canica** *nf* a marble
cansado/a *adj* tired
un **cantante** *nm* a singer
una **capa** *nf* a cape
una **capital** *nf* a capital
un **caramelo** *nm* a sweet
cariñoso/a *adj* affectionate
caro/a *adj* expensive
una **carpeta** *nf* a folder
una **casa** *nf* a house
un **casco** *nm* a helmet
castaño/a *adj* chestnut
un **castillo** *nm* a castle
catorce fourteen
una **cebolla** *nf* an onion
una **cena** *nf* a dinner
cenar *v* to have dinner
céntrico/a *adj* central
el **centro** *nm* the town centre
un **centro comercial** *nm* a shopping centre
cerca near
un **cerdo** *nm* a pig
cerrado/a *adj* closed
cerrar *v* to close
el **chicle** *nm* chewing gum
un **chico** *nm* a boy
el **ciclismo** *nm* cycling
el **cielo** *nm* the sky
cien hundred
las **ciencias** *nfpl* science
cinco five

cincuenta fifty
el cine *nm* the cinema
una cita *nf* a date, an appointment
una ciudad *nf* a town
una clase *nf* a classroom
una clave *nf* a password, a key
un coche *nm* a car
una cocina *nf* a kitchen
una colección *nf* a collection
un colegio *nm* a school
un color *nm* a colour
un comedor *nm* a dining room
comer *v* to eat
¿cómo? how?
cómodo/a *adj* comfortable
un compañero *nm* a partner, a companion
completar *v* to complete
con with
concienciar *v* to educate, make aware of
un concierto *nm* a concert
un conejo *nm* a rabbit
confundido/a *adj* confused
conocer *v* to know
el contrario *nm* the opposite
conveniente *adj* convenient
copiar *v* to copy
una cortina *nf* a curtain
la costa *nf* the coast
crudo/a *adj* raw
cruzar *v* to cross
un cuaderno *nm* an exercise book
cuadrado/a *adj* square
cuando when
¿cuándo? when?
¿cuánto/a? how much?
¿cuántos/as? how many?
cuarenta forty
un cuarto de baño *nm* a bathroom
un cuarto *nm* a quarter
cubrir *v* to cover
el cuero *nm* leather
el cuerpo *nm* body
cuesta (it) costs
un cumpleaños *nm* a birthday
un curso *nm* a course

D

me da igual it's OK, I don't mind
de of/from
los deberes *nmpl* homework
decir *v* to say
delante de in front of
el/la dependiente *nm/f* shop assistant
el deporte *nm* sport
los deportes acuáticos *nmpl* water sports
de repente suddenly
la derecha *nf* the right
desayunar *v* to have breakfast
el desayuno *nm* breakfast
una descripción *nf* a description
un deseo *nm* a wish
un despacho *nm* an office
despacio slowly
un día *nm* a day
un diálogo *nm* a dialogue
el dibujo *nm* Art
un diccionario *nm* a dictionary
diciembre *nm* December
diecinueve nineteen
dieciocho eighteen
dieciséis sixteen
diecisiete seventeen
diez ten
diferente *adj* different
difícil *adj* difficult, hard
diga Hello? (on the phone)
digo I say
el dinero *nm* money
un dinosaurio *nm* a dinosaur
la dirección *nf* the address
el director *nm* the headmaster
una discoteca *nf* a disco
una disculpa *nf* an excuse
distinto/a *adj* different
divertido/a *adj* fun
doce twelve
un dolor *nm* a pain
el domingo *nm* Sunday
¿dónde? where?
un dormitorio *nm* a bedroom
dos two
ducharse *v* to have a shower
el dueño *nm* the owner
durante during

E

la edad *nf* the age
el edificio *nm* the building
la educación física *nf* PE
un ejercicio *nm* an exercise
el the (masculine singular)
él he
empezar *v* to begin
empieza it begins
en in/on
enamorarse de *v* to fall in love with
me encanta I love
encantado/a *adj* pleased to meet you
encontrar *v* find, meet
una encuesta *nf* a survey
enero *nm* January
una enfermera *nf* a (female) nurse
un enfermero *nm* a (male) nurse
enfrente opposite
enorme *adj* huge
entender *v* to understand
entonces then
el equipo de gimnasia *nm* PE kit
tú eres you are
es it is
las escaleras *nfpl* the stairs
escapar *v* to escape
el escaparate *nm* shop window
escocés/escocesa *adj* Scottish
Escocia Scotland
escribir *v* to write
escuchar *v* to listen
el espacio *nm* the space
España Spain
español/española *adj* Spanish
un espejo *nm* a mirror
un espía *nm* a spy
las espinacas *nfpl* spinach
el esquí *nm* skiing
esquiar *v* to ski
una estación de autobuses *nf* a bus station
una estación de trenes/de RENFE *nf* a railway station
un estadio *nm* a stadium
los Estados Unidos *nmpl* the United States
estadounidense *adj* American
una estantería *nf* a shelf
estar *v* to be

éste/a *adj* this
el **este** *nm* the east
una **estrella** *nf* a star
estresante *adj* stressful
estudiar to study
explicar *v* to explain
extraño/a *adj* strange

F

una **fábrica** *nf* a factory
fácil *adj* easy
una **familia** *nf* a family
famoso/a *adj* famous
favorito/a *adj* favourite
febrero *nm* February
fenomenal *adj* great
una **fiesta** *nf* a party
el **fin** *nm* the end
el **fin de semana** the weekend
el **final** *nm* the end
un **folleto** *nm* a leaflet
una **foto** *nf* a photograph
francés/francesa *adj* French
Francia France
una **frase** *nf* a phrase, a sentence
frío/a *adj* cold
fuera de casa away from home, not at home
el **fútbol** *nm* football
un **futbolista** *adj* a footballer

G

las **gafas** *nfpl* glasses
Gales Wales
galés/galesa *adj* Welsh
un **garaje** *nm* a garage
un **gato** *nm* a cat
un **gemelo** *nm* a twin
genial *adj* great, brilliant
la **geografía** *nf* geography
la **gimnasia** *nf* gymnastics
el **golf** *nm* golf
una **goma** *nf* a rubber
una **granada** *nf* a pomegranate
grande *adj* big
una **granja** *nf* a farm
gratuito/a *adj* free
gris *adj* grey
el **guacamole** *nm* guacamole
guapo/a *adj* good-looking
los **guisantes** *nmpl* peas
un **guitarrista** *nm* a guitar player
me **gusta** I like
no me **gusta** I don't like

H

una **habitación** *nf* a room
hablar *v* to speak
yo **hago** I make
la **harina** *nf* flour
hasta until
hasta la vista see you later
hasta luego see you later
hasta mañana see you tomorrow
hay there is/there are
una **hermana** *nf* a sister
una **hermanastra** *nf* a stepsister
un **hermanastro** *nm* a stepbrother
un **hermano** *nm* a brother
una **hija** *nf* a daughter
un **hijo** *nm* a son
un **hijo único** *nm* an only child
hispano/a *adj* Hispanic
la **historia** *nf* history
histórico/a *adj* historic
hola hello
una **hora** *nf* an hour
la **hora de comer** lunchtime
un **hospital** *nm* a hospital
un **hotel** *nm* a hotel

I

un **idioma** *nm* a language
importante *adj* important
industrial *adj* industrial
la **información** *nf* information
la **informática** *nf* ICT
un **informe** *nm* a report
Inglaterra England
inglés/inglesa *adj* English
un **instituto** *nm* a secondary school
un **intercambio** *nm* a school exchange visit
interesante *adj* interesting
un **i-pod** *nm* an i-pod
ir *v* to go
Irlanda Ireland
irlandés/irlandesa *adj* Irish
una **isla** *nf* an island
Italia Italy
italiano/italiana *adj* Italian
la **izquierda** *nf* the left

J

un **jardín** *nm* a garden
yo **juego** I play
el **jueves** *nm* Thursday
jugar *v* to play
julio *nm* July
junio *nm* June

K

un **kilómetro** *nm* a kilometre

L

la the (feminine singular)
lado next, side
un **lago** *nm* a lake
una **lámpara** *nf* a lamp
largo/a *adj* long
las the (feminine plural)
lavar *v* to wash, clean
lavarse *v* to wash oneself
la **leche** *nf* milk
leer *v* to read
lejos far
lento/a *adj* slow
levantarse *v* to get up
libre *adj* free, not occupied
un **libro** *nm* a book
ligero/a *adj* light(weight)
limpio/a *adj* clean
una **línea** *nf* a line
liso/a *adj* straight
la **lista de la compra** *nf* shopping list
llamarse *v* to be called
llano/a *adj* flat
llevar *v* to wear, have
llueve it's raining
la **lluvia** *nf* rain
lluvioso/a *adj* rainy, wet
lo siento I'm sorry
los the (masculine plural)
un **lugar** *nm* a place
el **lunes** *nm* Monday

M

una **madre** *nf* a mother
mal bad
la **mantequilla** *nf* butter
un **mapa** *nm* a map
una **marca** *nf* a mark
marrón *adj* brown
Marruecos Morocco
el **martes** *nm* Tuesday
marzo *nm* March
más more
las **matemáticas** *nfpl* maths
mayo *nm* May
mayor *adj* older
me chifla I'm crazy about
me encanta I love
me gusta I like
me llamo my name is/I'm called…
media half (past)
el **medio** *nm* the middle
una **mentira** *nf* a lie
una **mesa** *nf* a table
mi/mis my
el **miércoles** *nm* Wednesday
un **minuto** *nm* a minute
mirar *v* to look
una **mochila** *nf* school-bag, ucksack
un **modelo** *nm* a model
un **monopatín** *nm* a skateboard
un **monstruo** *nm* a monster
una **montaña** *nf* a mountain
montar en bicicleta *v* to go cycling
un **monumento** *nm* a monument
la **moqueta** *nf* the carpet
moreno/a *adj* dark
un **móvil** *nm* a mobile phone
mucho/a many/much/a lot of
la **muerte** *nf* death
el **mundo** *nm* the world
una **muralla** *nf* a wall
un **museo** *nm* a museum
la **música** *nf* music
muy very

N

la **nacionalidad** *nf* the nationality
nada más nothing else
nadar *v* to swim
naranja *adj* orange
la **natación** *nf* swimming
las **natillas** *nfpl* custard
navegar *v* to surf (the internet)
necesario/a *adj* necessary
negro/a *adj* black
ni neither, nor
la **niebla** *nf* the fog
nieva it's snowing
el **nombre** *nm* the name
normalmente usually
el **norte** *nm* the north
la **nota** *nf* the note
noventa ninety
noviembre *nm* November
nueve nine
un **número** *nm* a number

O

una **ocasión especial** *nf* a special occasion
ochenta eighty
ocho eight
octubre *nm* October
odiar *v* to hate
el **oeste** *nm* the west
una **oficina** *nf* an office
la **oficina de turismo** *nf* the tourist office
un **ojo** *nm* an eye
once eleven
un **ordenador** *nm* a computer
otro/a *adj* other, another

P

un **padre** *nm* a father
los **padres** *nmpl* parents
la **paella** *nf* a Spanish dish of rice and seafood
la **paga** *nf* pocket money
una **página** *nf* a page
un **país** *nm* a country
una **palabra** *nf* a word
un **palacio** *nm* a palace
un **paraguas** *nm* an umbrella
un **parasol** *nm* a parasol, a sun-shade
una **pared** *nf* a wall
un **parking** *nm* a car park
un **parque** *nm* a park
un **párrafo** *nm* a paragraph
un **partido** *nm* a game, match
una **pasarela** *nf* a catwalk
pasear *v* to go for a walk
unos **patines** *nmpl* rollerblades
un **patio** *nm* a patio
peinarse *v* to comb your hair
una **película** *nf* a film
peligroso/a *adj* dangerous
pelirrojo *adj* red-haired
el **pelo** *nm* hair
una **pelota** *nf* a ball
pensar *v* to think
pequeño/a *adj* small
perdido/a *adj* lost
una **peregrinación** *nf* a pilgrimage
un **peregrino** *nm* a pilgrim
el **perejil** *nm* parsley
perfecto/a *adj* perfect
pero but
un **perro** *nm* a dog
una **persona** *nf* a person
un **personaje** *nm* a character
personal *adj* personal
la **personalidad** *nf* personality
pertenecer *v* to belong
un **pez** *nm* a fish
un **piano** *nm* a piano
una **picadura** *nf* a sting
picante *adj* spicy
un **pie** *nm* a foot
la **piel** *nf* the skin
pintar *v* to paint
un **pintor** *nm* a painter
una **piscina** *nf* a swimming pool
un **piso** *nm* a flat, a floor
una **pista** *nf* a clue
una **pista de hielo** *nf* an ice rink
una **pizarra** *nf* a blackboard
una **planta** *nf* a floor, a storey
plástico/a *adj* plastic
un **plato** *nm* a plate, a course (of a meal)
la **playa** *nf* the beach
una **plaza** *nf* a square
una **plaza de toros** *nf* a bullring
una **pluma** *nf* a fountain pen
un **poco** *nm* a bit
poder *v* to be able to, can
un **poema** *nm* a poem
un **polideportivo** *nm* a sports centre
el **polo acuático** *nm* water polo
la **polución** *nf* pollution
por favor please
¿por qué? why?
porque because

Portugal Portugal
portugués/portuguesa *adj* Portuguese
una **postal** *nf* a postcard
un **póster** *nm* a poster
practicar *v* to do, practise
práctico/a *adj* practical
el **precio** *nm* price
una **prenda** *nf* a garment, an article of clothing
una **presentación** *nf* a presentation
una **prima** *nf* a cousin (girl)
primer/primero first
un **primo** *nm* a cousin (boy)
un **príncipe** *nm* a prince
privado/a *adj* private
un **profesor** *nm* a teacher
la **pronunciación** *nf* pronunciation
pronunciar *v* to pronounce
propio/a own
las **pruebas** *nfpl* proof
yo **puedo** I can
una **puerta** *nf* a door

Q

¿qué? what?
¿qué tal? how are you?
que than/that
querer *v* to want
¿quién? who?
quince fifteen

R

una **radio** *nf* a radio
una **rana** *nf* a frog
rápido/a *adj* fast
un **rato** *nm* a while
un **ratón** *nm* a mouse
reconocer *v* to recognize
recordar *v* to remember
recorrer *v* to travel, go round
el **recreo** *nm* break time
recto/a *adj* straight
una **regla** *nf* a ruler
relajante *adj* relaxing
el **relámpago** *nm* lightning
la **religión** *nf* RE
rellenar *v* to fill, fill in
un **remedio** *nm* a remedy, cure
renovar *v* to renew, renovate
repetir *v* to repeat
responsable *adj* responsible
una **respuesta** *nf* an answer
un **restaurante** *nm* a restaurant
un **reto** *nm* a challenge
una **revista** *nf* a magazine
un **río** *nm* a river
rizado/a *adj* curly
rojo/a *adj* red
romántico/a *adj* romantic
la **ropa** *nf* clothes
rosa *adj* pink
rubio/a *adj* fair-haired
el **rugby** *nm* rugby
ruidoso/a *adj* noisy
una **ruta** *nf* a route
la **rutina** *nf* routine

S

el **sábado** *nm* Saturday
sabroso/a *adj* delicious, tasty
sacar *v* to take out
sacar fotos *v* to take photos
salgo I go out
salir *v* to go out
el **salón** *nm* living room
una **salsa** *nf* a sauce
un **saludo** *nm* a greeting
un **santo** *nm* a saint
las **sardinas** *nfpl* sardines
seco/a *adj* dry
seguir *v* to go on, continue
un **segundo** *nm* a second
seis six
la **selva** *nf* jungle, forest
una **semana** *nf* a week
sentarse *v* to sit down
septiembre *nm* September
ser *v* to be
una **serpiente** *nf* a snake
sesenta sixty
setenta seventy
si if
siete seven
una **silla** *nf* a chair
un **síntoma** *nm* a symptom
el **sol** *nm* the sun
solamente only
sólo only
solo/a *adj* alone
un **sondeo** *nm* a survey
sospechoso/a *adj* suspicious
yo **soy** I am
su/sus his/her/your
subir *v* to go up
sucio/a *adj* dirty
la **superficie** *nf* area, surface
un **supermercado** *nm* a supermarket
el **sur** *nm* the south

T

también also, as well
las **tapas** *nfpl* snacks served with drinks in a bar
un **teatro** *nm* a theatre
la **tecnología** *nf* technology
un **teléfono** *nm* a telephone
una **televisión** *nf* a television
un **televisor** *nm* a television set
tener to have
yo **tengo** I have
el **tenis** *nm* tennis
un **tenista** *nm* a tennis player
tercer third
terminar to finish
un **terremoto** *nm* an earthquake
una **tía** *nf* an aunt
el **tiempo** *nm* the weather
una **tienda** *nf* a shop
un **tío** *nm* an uncle
típico/a *adj* typical
el tipo *nm* type
tocar to play (an instrument)
todo all, everything
una **tormenta** *nf* a storm
una **tortuga** *nf* a tortoise
el **tráfico** *nm* traffic
tranquilo/a *adj* quiet
el **transporte** *nm* transport
trece thirteen
treinta thirty
un **tren** *nm* a train
tres three
una **trompeta** *nf* a trumpet
tú you
tu/tus your
un **turista** *nm* a tourist

U

un/una a, an
un **uniforme** *nm* a uniform
uno one
usted you (to an adult you don't know well)
útil *adj* useful
las **uvas** *nfpl* grapes

una	**vaca** *nf* a cow
	vegetariano/a *adj* vegetarian
	veinte twenty
la	**vela** *nf* sailing
una	**ventana** *nf* a window
	ver *v* to watch, see
la	**verdad** *nf* the truth
	verde *adj* green
	vestirse *v* to get dressed
un	**videojuego** *nm* a videogame
el	**viento** *nm* the wind
el	**viernes** *nm* Friday
un	**vikingo** *nm* a Viking
el	**vinagre** *nm* vinegar
	violento/a *adj* violent
	violeta *adj* violet
el	**vocabulario** *nm* vocabulary
un	**volcán** *nm* a volcano
el	**voleibol** *nm* volleyball
yo	**voy** I go

	y and
	yo I

	zapear *v* to channel-hop (TV)
un	**zoo** *nm* a zoo

A

a un/una
a little bit un poco *nm*
active activo/a *adj*
affectionate afectuoso/a, cariñoso/a *adj*
after después
in the afternoon por la tarde
I am yo soy
and y
animal el animal *nm*
anything else? ¿algo más?
April abril *nm*
athletics el atletismo *nm*
August agosto *nm*
aunt la tía *nf*

B

bag la bolsa *nf*
bathroom el cuarto de baño *nm*
to be estar, ser *v*
beach la playa *nf*
because porque
bed la cama *nf*
bedroom el dormitorio *nm*
behind detrás de
to belong pertenecer *v*
best mejor *adj*
big grande *adj*
birthday el cumpleaños *nm*
a bit un poco
black negro/a *adj*
blond rubio/a
blue azul *adj*
bon appetit ¡que aproveche!
book el libro *nm*
boring aburrido/a *adj*
bottle la botella *nf*
boy el chico *nm*
to bring traer *v*
brother el hermano *nm*
brown marrón *adj*
building el edificio *nm*
but pero
to buy comprar *v*

C

cantine la cafetería *nf*
cat el gato *adj*
cent céntimo *nm*
chair la silla *nf*
cheap barato/a *adj*
chewing gum el chicle *nm*
cinema el cine *nm*
clothes la ropa *nf*
coffee el café *nm*
cold frío/a *adj*
colour el color *nm*
computer el ordenador *nm*
country el país *nm*
countryside el campo *nm*
cousin (boy) el primo *nm*
cousin (girl) la prima *nf*
cupboard el armario *nm*
curly rizado/a *adj*
cycling el ciclismo *nm*

D

to dance bailar *v*
dangerous peligroso/a *adj*
daughter la hija *nf*
day el día *nm*
December diciembre *nm*
dessert el postre *nm*
dictionary el diccionario *nm*
difficult difícil *adj*
dining room el comedor *nm*
dinner la cena *nf*
dirty sucio/a *adj*
to do hacer *v*
do you have...? ¿tienes...? (to a friend or relative) ¿tiene? (to someone you don't know well)
dog el perro *nm*
drink la bebida *nf*

E

each cada
east el este *nm*
easy fácil *adj*
to eat comer *v*
efficient eficiente *adj*
eight ocho
eight hundred ochocientos
eighteen dieciocho
eighty ochenta
eleven once
England Inglaterra
English inglés/inglesa *adj*
to enjoy oneself divertirse *v*
exercise book el cuaderno *nm*
expensive caro/a *adj*
eye el ojo *nm*

F

it was fantastic fue fantástico
far lejos
farm la granja *nf*
father el padre *nm*
favourite favorito/a *adj*
February febrero *nm*
fifteen quince
fifty cincuenta
to finish terminar *v*
first primer/a, primero
on the first floor en el primer piso
fish el pez *nm*
five cinco
five hundred quinientos
flag la bandera *nf*
flat el piso *nm*
floor la planta *nf*, el piso *nm*
it's foggy hay niebla
food la comida *nf*
football el fútbol *nm*
forty cuarenta
four cuatro
four hundred cuatrocientos
fourteen catorce
France Francia
Friday viernes *nm*
friend el amigo *nm*
from de, desde
fun divertido/a *adj*

G

garden el jardín *nm*
geography la geografía *nf*
German alemán/alemana *adj*
to go ir *v*

golf el golf *adj*
goodbye adiós
good-looking guapo/a *adj*
grandfather el abuelo *nm*
grandmother la abuela *nf*
great fenomenal *adj*
it was **great** estuvo genial
green verde *adj*
grey gris *adj*
gymnastics la gimnasia *nf*

H

hair el pelo *nm*
handball el balonmano *nm*
hard-working trabajador(a) *adj*
to **hate** odiar *v*
to **have** tener *v*
he él
hello hola
her su/sus
his su/sus
history la historia *nf*
horse el caballo *nm*
horse riding la equitación *nf*
hot caliente *adj*
it's **hot (weather)** hace calor
hour la hora *nf*
house la casa *nf*
how are you? ¿qué tal?
how much? ¿cuánto/a?
hundred cien

I

I yo
I am yo soy, yo estoy
I can yo puedo
I go yo voy
I go out yo salgo
I have yo tengo
I like me gusta
I love me encanta
I make yo hago
I'm crazy about me chifla
I'm sorry lo siento
ICT la informática *nf*
if si
impatient impaciente *adj*
important importante *adj*
in en
in front of delante
information la información *nf*
intelligent inteligente *adj*
interesting interesante *adj*
i-pod el i-pod *nm*
Ireland Irlanda
it's es
Italian italiano/italiana *adj*

J

January enero *nm*
July julio *nm*
June junio *nm*

K

kitchen la cocina *nf*

L

lamp la lámpara *nf*
library la biblioteca *nf*
to **live** vivir *v*
living room el salón *nm*
long largo/a *adj*
to **look at** mirar *v*
lunch la comida *nf*

M

to **make** hacer *v*
March marzo *nm*
maths las matemáticas *nfpl*
May mayo *nm*
mobile phone el móvil *nm*
Monday lunes *nm*
more más
in the **morning** por la mañana
mother la madre *nf*
museum el museo *nm*
music la música *nf*
my mi, mis

N

name el nombre *nm*
near cerca
new nuevo/a *adj*
next to al lado de
nice simpático/a *adj*
nine nueve
nine hundred novecientos
nineteen diecinueve
ninety noventa
north el norte *nm*
November noviembre *nm*

O

October octubre *nm*
of de
on en, sobre
one uno
only child hijo único *nm*
orange naranja *adj*
organized organizado/a *adj*

P

parents los padres *nmpl*
park el parque *nm*
PE la educación física *nf*
pen el bolígrafo *nm*
pencil case el estuche *nm*
pencil el lápiz *nm*
pencil sharpener el sacapuntas *nm*
pink rosa *adj*
to **play sport** jugar *v*
please por favor
to **prefer** preferir *v*
pretty bonito/a *adj*

Q

it's **quarter past (two)** son las (dos) y cuarto
it's **quarter to (three)** son las (tres) menos cuarto
quiet tranquilo/a *adj*
quite bastante

R

rabbit el conejo *nm*
railway station la estación de trenes/de RENFE *nf*
it's **raining** llueve

	red rojo/a *adj*
to	**relax** relajarse *v*
	restaurant el restaurante *nm*
	rubber la goma *nf*
	rug la alfombra *nf*
	ruler la regla *nf*

S

	sailing la vela *nf*
	Saturday sábado *nm*
	school el colegio *nm*
	science las ciencias *nfpl*
	Scotland Escocia
	see you later hasta la vista, hasta luego
	see you tomorrow hasta mañana
	September septiembre *nm*
	serious serio/a *adj*
	seven siete
	seven hundred setecientos
	seventeen diecisiete
	seventy setenta
	she ella
	shelf la estantería *nf*
	short bajo/a (person), corto (hair) *adj*
	sister la hermana *nf*
	six seis
	six hundred seiscientos
	sixteen dieciséis
	sixty sesenta
to go	**skateboarding** ir en monopatín
	small pequeño/a *adj*
it's	**snowing** nieva
	son el hijo *nm*
I'm	**sorry** lo siento
	south el sur *nm*
	Spain España
	Spanish español/española *adj*
to	**spend (time)** pasar *v*
to do	**sport** practicar deporte *v*
	sports centre el polideportivo *nm*
	sporty deportista *adj*
	stepbrother el hermanastro *nm*
	stepsister la hermanastra *nf*
	still todavía
it's	**stormy** hay tormenta
	straight (hair) (el pelo) liso *adj*
	sun el sol *nm*
	Sunday domingo *nm*
	supermarket el supermercado *nm*
to	**swim** nadar *v*
	swimming pool la piscina *nf*

T

	table la mesa *nf*
	tall alto/a *adj*
	technology la tecnología *nf*
	telephone el teléfono *nm*
	television la televisión *nf*
	ten diez
	tennis el tenis *nm*
	the el/la/los/las
	then entonces
	there are hay
	there is hay
	they ellos
I	**think that** pienso que, creo que
	third tercer
	thirteen trece
	thirty treinta
	this éste/a *adj*
a	**thousand** mil
	three tres
	three hundred trescientos
	Thursday jueves *nm*
	tired cansado/a *adj*
	toilet el aseo *nm*
	too (much) demasiado
	town la ciudad *nf*
	town centre el centro *nm*
to	**travel** viajar *v*
	true verdadero/a *adj*
	Tuesday martes *nm*
	twelve doce
	twenty veinte
	twin el gemelo *nm*
	two dos
	two hundred doscientos

U

	uncle el tío *nm*

V

	very muy
	videogame el videojuego *nm*
	violet violeta *adj*
	volleyball el voleibol *nm*

W

	Wales Gales
I	**want** quiero
	wardrobe el armario *nm*
	water el agua *nf*
to	**wear** llevar *v*
	weather el tiempo *nm*
	Wednesday miércoles *nm*
	week la semana *nf*
	weekend el fin de semana *nm*
	well bien
	west el oeste *nm*
	what? ¿qué?
	what do you want? ¿qué desea(s)?
	when? ¿cuándo?
	where? ¿dónde?
	white blanco/a *adj*
	who? ¿quién?
	why? ¿por qué?
it's	**windy** hace viento
it's	**worth it** merece la pena

Y

	yellow amarillo/a *adj*
	you tú (to a friend or relative), usted (to someone you don't know well)
	your tu, su, vuestro